SHAKER

S H

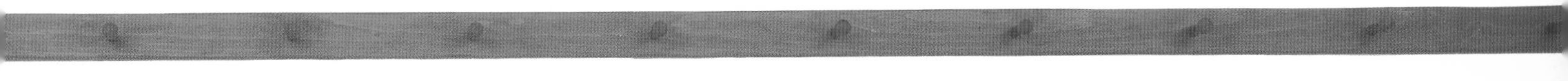

JUNE SPRIGG und DAVID LARKIN

A K E R

KUNST, HANDWERK, ALLTAG

Fotos von Michael Freeman

Otto Maier Ravensburg

Die Originialausgabe erschien 1987 bei
Stewart, Tabori & Chang, Inc., New York.
Originaltitel: Shaker. Life, Work, And Art.
Text copyright © 1987 June Sprigg
Photographs copyright © 1987 Michael Freeman

Alle Rechte der deutschsprachigen Ausgabe liegen beim
Ravensburger Buchverlag Otto Maier GmbH, Ravensburg, 1991
Aus dem Amerikanischen übersetzt von Betha Sauter.
Umschlaggestaltung: Ekkehard Drechsel BDG
Printed in Japan

00   98   5   4

ISBN 3-473-48364-8

INHALT

EIN TAG IM LEBEN

Ende September. Einer der üblichen Samstage beginnt.
Um 4.30 Uhr läutet die Glocke zum ersten Mal. Die Schwester
ist schon wach, hält aber die Augen noch geschlossen. Sie reckt
sich in ihrem engen Bett. Der Ofen gibt noch etwas Wärme ab.
Wie immer muß sie Holz nachlegen. Ihre Zimmergenossinnen
beginnen sich ebenfalls zu regen. Von nebenan hört man leise
Geräusche. Die Familie wacht endgültig auf.

Die Schwester wartet, bis sie am Waschbecken an der Reihe ist,
und wäscht sich das Gesicht. Sie zieht das blau-braune Baum-
wollkleid über ihr Unterhemd, glättet ihr Haar unter dem
gestärkten weißen Häubchen und steckt den großen Kragen über
der Brust fest. Der Geruch des Frühstücks dringt aus der Küche
herauf, aber bis zum Essen dauert es noch über eine Stunde.

Die Schwester zieht die Bettdecke bis ans Fußende zurück, um die
Federn auslüften zu lassen. Mit einem Reisigbesen kehrt sie den
weichen Riemenboden. Die täglichen Pflichten sind einem
vertraut und haben eine beruhigende Wirkung, denkt sie und
kehrt dabei ein paar Holzsplitter und Asche vor dem Ofen
zusammen. Sie wischt die Möbel, den Fenstersims und die
Einbauschränke mit den Schubladen mit einem Lappen ab und
entfernt kleine Spinnweben vom Regal. Sie füllt die Öllampe aus
einer großen, fast leeren Flasche nach und denkt, daß sie nicht
vergessen darf, die Diakonissin um etwas Öl zu bitten. Sie bewegt
sich schnell und ist gerade dabei, eine Schachtel mit Nähgarn
wieder in Ordnung zu bringen, als die Glocke ein zweites Mal
ertönt. Eine Viertelstunde ist seit dem ersten Läuten vergangen.
Die Brüder sind mittlerweile auch angezogen und gehen hinaus
zum Stall, um dort ihre Arbeit zu erledigen.

Sobald die Brüder das Haus verlassen haben, geht sie durch die
Halle und säubert deren Zimmer. Als sie damit fertig ist, setzt sie
sich in ihr Zimmer, denkt an den bevorstehenden Tag und beginnt
die Socken zu stopfen, die ihr ein Bruder gebracht hat. Heute
beginnt ihr vierwöchiger Küchendienst. Es ist schon eine Weile her,
seit sie das letzte Mal dort gearbeitet hat. Es gefällt ihr hier, und
sie mag die geschäftige Atmosphäre und die Kameradschaft. Als
sie die Löcher gestopft hat, stickt sie noch ihre Initialen mit feinen
blauen Kreuzstichen in ein paar Kragen. Ihre Gedanken schweifen
umher, als es draußen hell wird.

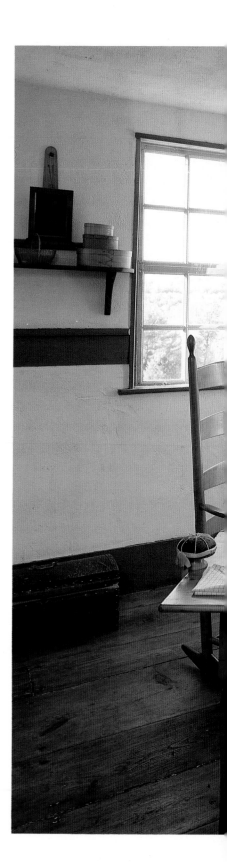

Im Zimmer auf der anderen Seite der Halle hat der Bruder ebenfalls die Glocke gehört. Er steht auf, zieht sich an und begrüßt seine Zimmergenossen. Heute fällt ihm das Aufstehen schwer; er fühlt das Alter in seinen Knochen und die beginnende Herbstkälte. Die Schwester hat letzte Woche die Wandtücher an der Hakenleiste aufgehängt; jetzt ist er dankbar für den zusätzlichen Wärmeschutz, den sie bieten. Er schaut in den kleinen Spiegel und rasiert sich den Bart mit einem Rasiermesser.

Heute morgen ist er hungrig, aber zuerst müssen noch die Kühe gemolken werden, bevor die Familie frühstücken kann. Er steigt langsam die Treppen hinunter und tritt hinaus in die kalte Dämmerung. Der Stall ist einladend warm. Es riecht stark nach Heu. Das Geräusch der kauenden Tiere und das Klappern der vollen Melkeimer empfindet er jeden Tag aufs neue als wohltuend und beruhigend. Er lehnt seine Wange an die breite, warme Seite der Kuh und fühlt den gleichmäßigen Rhythmus des Melkens.

10

6 Uhr. Die Frühstücksglocke läutet. Die Familie geht durch die Halle auf die Treppe zu. Man grüßt einander stumm. Die Brüder und Schwestern gehen getrennte Treppen hinunter, durch eine zweifache Tür, und nehmen ihre gewohnten Plätze bei Tisch ein: die Brüder im Osten, die Schwestern im Westen. Sie sind noch immer begeistert von den neuen Stühlen, die letzten Monat – anstelle der alten Bänke ohne Rückenlehne – hereingestellt wurden. Sie sind viel praktischer und bequemer und werden von allen hochgeschätzt. Nach einem stillen Dankgebet setzt sich die Familie. Man ißt ohne zu reden, murmelt nur ein paar Worte des Dankes, wenn eine Platte weitergereicht wird. Zum Frühstück gibt es Salzkartoffeln, Bratwürste, Weizenbrot, Apfelkompott und Kamillentee. Kaffee und Schwarztee wurden letztes Jahr, der Gesundheit zuliebe, abgeschafft. Die Familie ißt rasch, erhebt sich beim Zeichen und begibt sich an die morgendliche Arbeit. Der Bruder nimmt Mantel und Hut und geht zur Werkstatt, die glücklicherweise nicht sehr weit entfernt ist. Er schürt den Holzofen und nimmt die Arbeit an den ovalen Holzdosen auf. Seit etwa 25 Jahren stellt er nun schon diese Dosen her. Während des Sommers beaufsichtigt er die Arbeit im Obstgarten.

12

Heute beginnt er damit, „Schwalbenschwänze" in die Holzstreifen
zu schneiden, die später den Rand der Dose ergeben. Diese Arbeit
macht Spaß. Seine Hände sind beschäftigt, aber die Gedanken
können frei umherschweifen. Er erinnert sich an seine ersten
Versuche bei der Herstellung von Holzdosen – wie eifrig er doch
war, voller Fragen. Warum waren die Schwalbenschwänze
notwendig? Warum mußte man sie mit dem Messer und nicht mit
der Säge schneiden? Warum benutzte man Ahorn für die Seiten
und Kiefer für den Boden? Die Schwalbenschwänze verhindern,
daß sich die Verbindung wirft, weil sie dem Holz Platz zum
Arbeiten lassen; bei feuchtem Wetter kann es sich ausdehnen und
bei trockenem schrumpfen. Der Schnitt mit dem Messer erzeugt
eine kleine Fase; man kann auch empfindliche Stellen so
abrunden, daß sie später nicht abbrechen. Ahornholz läßt sich in
eingeweichtem Zustand oder über Dampf leicht biegen, es eignet
sich also gut für die Seiten. Man biegt den Holzstreifen um eine
ovale Form und läßt ihn darauf trocknen. Kiefernholz ist leicht zu
bekommen und zu verarbeiten – ein schönes Holz für Boden und
Deckel.

14

Die Schwester arbeitet unten in der Küche. Heute ist Backtag. Das Feuer in dem großen gemauerten Ofen prasselt schon. Sie und ihre Mitschwester stellen diesen Monat die Pasteten her, während andere sich um das Rupfen der Hühner kümmern. Sie beschließen, sich im Schälen und Schneiden der Äpfel abzuwechseln. Sie rechnen aus, daß etwa 35 Pasteten für die halbe Woche reichen. Die Arbeit geht schnell und macht sehr viel Spaß. Dann ist es Zeit, um aufzuräumen und den Tisch oben im Speiseraum zu decken.

11 Uhr 50. Der Gong ertönt. Der Bruder steht auf, streckt sich und streicht ein paar Holzspäne von seinem Arbeitskittel. Er zählt geschwind die Dosenseiten, die er gefertigt hat – achtundvierzig. Er geht auf dem Steinweg zum Wohnhaus zurück, während die Familie von allen Seiten zusammenströmt. Es gibt Mittagessen.

16 Uhr 30. Die Schatten werden länger. Die Wohnhausseite der Schwestern ist von Licht erüllt, die Seite der Brüder liegt im Dunkeln. Das Abendessen ist einfach – nur Apfelmus, Brot und Milch. Die Schwester ist müde und vermißt den Kaffee; dagegen sehnt der Bruder sich nach Tabak, aber Tabak ist ebenfalls nicht erlaubt. Es war ein arbeitsreicher Nachmittag, obwohl nur das einfache Essen für den Sabbat vorbereitet wurde. Morgen gibt es gebackene Bohnen und Graubrot zum Mittagessen. Die Küche ist makellos sauber, bereit für den Tag der Ruhe.

Auch der Bruder ist müde. Er hat 48 Dosenseiten eingeweicht,
sie um die Form herum zusammengenagelt und zum Trocknen
aufgestellt. Wenn das Wetter trocken und heiter bleibt, sind sie vielleicht bis Dienstag soweit, daß er Deckel und Böden anbringen
kann. Den restlichen Nachmittag hat er mit Aufräumen und
Kehren verbracht. Er denkt an seine ersten Tage in der Shaker-
Gemeinde zurück. Er ist glücklich, daß seine Frau und seine
Kinder sich der Gemeinschaft ebenfalls angeschlossen haben.
Alle sind sie zusammen, bis auf seinen ältesten Sohn. Es ist schon
eine Weile her, seit er von der Shaker-Gemeinde fortgegangen ist.

Die Glocke läutet erneut. Er bläst die Lampe aus, schließt die
Werkstattür ab und kehrt mit seinen Mitbrüdern zum Wohnhaus
zurück. Ein einziger Stern leuchtet am dunklen Himmel. Das
Wohnhaus sieht warm und einladend aus, es strahlt im Lichter-
schein. Von überall her strömen die Brüder und Schwestern der
Glaubensgemeinschaft zurück ins Haus.

ANN LEE
UND IHRE LEHRE –

Die Geschichte der Shaker

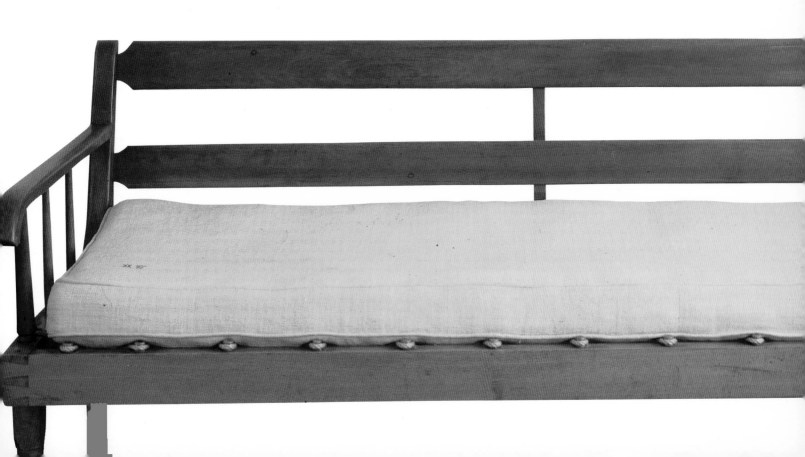

DIE SHAKER, eine Gemeinschaft von Menschen, die an die erste und zweite Erscheinung Christi glaubten, waren die größte und bekannteste Sekte im Amerika des 19. Jahrhunderts. Um 1840 lebten und arbeiteten rund 6000 zölibatäre Brüder und Schwestern in 19 Kommunen zwischen Maine und Kentucky. Die Shaker, oder die „Believer" (engl.: Gläubige), waren berühmt wegen ihres ungewöhnlichen Lebensstils, wegen ihrer einfachen und ausgezeichneten handwerklichen Arbeiten und wegen ihres religiösen Tanzes, der ihnen den Namen gab.

Mehr als 200 Jahre lang verwirklichten die Shaker eine in ihrer Art einmalige Lebensweise, die auf den Prinzipien der Gleichheit und der Gemeinschaft beruhte. Heute leben nur noch weniger als ein Dutzend Shaker, aber ihre geistige Hinterlassenschaft besteht in den Zeugnissen ihrer Handwerkskunst fort.

Die Geschichte der Shaker in Amerika begann im Jahr 1774, als die 38jährige Ann Lee, eine englische Arbeiterin, mit acht Anhängern in New York ankam. Ann, die Tochter eines Hufschmieds, war in den Slums von Manchester aufgewachsen, und nichts deutete darauf hin, daß ihr Leben so verlaufen würde. Sie war arm, hatte keine einflußreichen Freunde und konnte weder lesen noch schreiben. Aufgrund ihrer großen religiösen Überzeugungskraft jedoch war sie die anerkannte geistige Führerin einer Schar von Kritikern der anglikanischen Kirche. Diese Gruppe wurde unter dem Namen „Shaking Quakers" (engl.: Zitternde, Erbebende) bekannt, weil sie jedesmal, wenn sie den Heiligen Geist empfingen, vor Ehrfurcht ekstatisch erzitterten.

Als Ann 1770 wegen Schändung des Sabbats im Gefängnis saß, hatte sie eine Vision, die ihr Leben und das Leben Tausender Menschen verändern sollte: Es schien ihr auf einmal, daß fleischliche Beziehungen die Ursache für die vielen Streitigkeiten auf der Welt waren. Ihre vier Kinder starben, als sie 30 Jahre alt war. Sie sah sich dazu berufen, eine neues Leben zu verkünden, in der Männer und Frauen wie Kinder leben sollten. Unschuldig in ihren Beziehungen wie Geschwister. Die Mitglieder ihrer neuen Gemein-

schaft sollten eher wie Engel, nicht wie Menschen leben: frei
von Krieg, Gewalt, Habgier, Ausbeutung, frei von sexueller Begierde
und allen anderen schlechten Eigenschaften der Menschheit. Alle
sollten gleich sein, ungeachtet des Geschlechts, der Rasse oder des
Alters.

Als Ann drei Jahre später wieder im Gefängnis saß, hatte sie eine
Vision von einem auserwählten Volk Gottes in Amerika. Im nächsten Frühjahr brachen sie und ihre kleine Schar in diese weite,
neue Welt auf. Unter den treuen Anhängern waren ihr Ehemann
Abraham Stanley, ein Hufschmied, ihr jüngerer Bruder William Lee
und der junge, engagierte James Whittaker, ein entfernter
Verwandter.

Ihre Ankunft in New York war nicht gerade vielversprechend.
Fehlende Geldmittel zwangen die Gruppe dazu, sich zu trennen
und jeweils den eigenen Lebensunterhalt zu verdienen. Ann arbeitete als Waschfrau; und es gab Zeiten, in denen sie nicht einmal ein
Abendessen hatte. Doch es kam noch schlimmer. Ihr Ehemann
verließ sie, weil sie unerschütterlich am Zölibat festhielt. 1776 kaufte
sich die Gruppe ein kleines Stück Land in Watervliet in der Nähe
von Albany/New York. Drei Jahre später bauten sie ihr erstes
gemeinsames Haus. Aber es war ihnen kein Glück beschieden; das
Haus brannte ab. Am schlimmsten war, daß sie in den fünf schwie-
rigen Jahren in Amerika keine neuen Anhänger für sich gewinnen
konnten. Ann ermutigte ihre Gemeinschaft immer wieder. Sie
versprach ihnen Zuhörer in hellen Scharen.

Anns Prophezeihung bestätigte sich im Frühjahr 1780, als New York
und Neuengland von einer religiösen Welle erfaßt wurden. Einer
der ersten Anhänger war der Baptistenprediger Joseph Meacham,
der ihre ungewöhnlichen Ansichten eingehend prüfte.

Bestärkt durch die wachsende Begeisterung ihrer Zuhörerschaft
erweiterte Ann ihre Predigerreisen. Das steigende Interesse an der
neuen Sekte brachte aber auch Verfolgung und Inhaftierung mit
sich; Ann saß von Juli bis Dezember 1780 im Gefängnis. Im darauf-

folgenden Jahr begann sie dennoch eine zweijährige Bekehrungsreise durch Massachusetts und Connecticut. Missionare waren ihr vorausgeeilt, um sowohl Heilsuchende als auch Skeptiker, die Ann für eine britische Spionin und Hexe hielten, anzusprechen. Die Reise wurde im religiösen Bereich zu einem überwältigenden Erfolg; Ann erfuhr jedoch auch Demütigung und Erniedrigung durch den Mob. Erschöpft ging Ann zu Joseph Meacham nach New Lebanon, nahe der Grenze zu Massachusetts. Im September 1783 kehrte sie nach einem schweren Fieberanfall wieder zurück nach Watervliet. Gesundheitlich geschwächt und vom Tod ihres geliebten Bruders William schmerzlich getroffen, verstarb sie im Alter von 48 Jahren, nachdem sie zehn Jahre im „auserwählten" Land gelebt hatte.

Mutter Ann durfte die Blütezeit der Shaker nicht mehr miterleben. Nun lebten die Shaker in organisierten Gemeinden, abgeschieden von den Nichtgläubigen, die die Shaker schlicht „die Welt" nannten. Zum Zeitpunkt von Anns Tod lebten die Shaker in ihren eigenen Häusern. Sie waren einzelne Familien, die ihre eigene Landwirtschaft bearbeiteten, aber zölibatär lebten und sonntags zum Gottesdienst zusammenkamen. Die Schaffung der kollektiven Familien, in die alle ihren gesamten Besitz als Gemeingut einbrachten, wo man sich die Arbeit und den Gewinn teilte und als zölibatäre Brüder und Schwestern lebte und wohnte, war das Verdienst von Joseph Meacham und Lucy Wright, den beiden von Ann auserwählten Nachfolgern. (James Whittaker starb 1787, weniger als drei Jahre nach Ann.)

Ann hielt große Stücke auf Joseph, den Baptistenprediger aus Connecticut. Auch Lucy, eine engagierte, junge Frau aus dem Westen Massachusetts stand bei ihr in hohem Ansehen. Vater Joseph und Mutter Lucy waren sich darüber im klaren, daß die Konsolidierung der materiellen und geistigen Kraft eine wesentliche Aufgabe war, um inmitten den Versuchungen der „Welt" überleben zu können. Sie beschlossen daher, ein neues, vorher noch nie dagewesenes Experiment zu starten. Die Shaker sollten ihre Häuser verlassen und in neu gegründeten Gemeinden zusammenleben. Die Gemeinde in New Lebanon im Staat New York sollte als erste errichtet werden und für alle weiteren Gemeinden Modellcharakter haben. Dementsprechend verfügten Joseph und Lucy im September 1787, daß nun die Zeit reif sei, in der sich die Shaker von der „Welt" trennen sollten. Über hundert auserwählte „Believer" sollten auf die nebeneinanderliegenden Bauernhöfe einzelner Mitglieder ziehen und ihren Besitz als Gemeingut einbringen.

In den folgenden zehn Jahren galt die Arbeit von Vater Joseph und Mutter Lucy der Regelung des gemeinschaftlichen Zusammenlebens der Shaker. Sie führten Rangstufen ein – eine schrittweise Erlangung des Glaubens, um überhastete, spontane Beitritte, die in beiderseitiger Enttäuschung enden würden, zu verhindern. Joseph entwickelte ein Glaubensbekenntnis, das alle Mitglieder unterschreiben sollten, um ihr völliges Einverständnis in materieller und geistiger Hinsicht zu erklären. 1792 wurde ein Familienvorstand aus den beiden Paaren der Gemeindeältesten einberufen. Jeweils zwei „Älteste" sollten die neu gegründeten Gemeinden leiten. Zu dieser Zeit hatte sich auch die Glaubenslehre der Shaker voll durchgesetzt. Die jeweils ältesten Paare – intelligente, fähige und vom Erfolg des Experiments überzeugte Persönlichkeiten – wurden von New Lebanon aus an Orte entsandt, wo Konvertierte, die sich bisher nur zum Gottesdienst getroffen hatten, den Schritt zum gemeinschaftlichen Leben wagen wollten. In Neuengland traten nun nacheinander neue Gemeinden zusammen: 1790 in Hancock/Massachusetts; 1791 in Harvard/Massachusetts; 1792 in Canterbury/New Hampshire; 1794 in Sabbathday Lake/Maine. 1794 waren es allein elf Neugründungen. Joseph änderte auch die Art, den Gottesdienst abzuhalten: Er schaffte den drehenden, schüttelnden und hüpfenden Tanz der ersten Stunde ab. Der neue Tanz war einfach und einheitlich, so daß ihn die „Believer" gemeinsam und in völliger Übereinstimmung durch Vor- und Zurückschreiten ausüben konnten.

1796 starb Joseph im Alter von 54 Jahren. Lucy war nun alleinige Glaubensführerin. Dank ihres Geschicks und ihrer starken Persönlichkeit wurde sie in den nächsten 25 Jahren zur zweiten „Mutter" der Shaker. Sie führte die Glaubensgemeinschaft zur Blütezeit ihrer geistigen Kraft. In Gedenken an Mutter Ann's Prophezeihung, daß der Glauben im Westen von Amerika (im heutigen Kentucky und Ohio) eine Erneuerung erfahren würde, schickte sie 1805 am Neujahrsmorgen drei Brüder auf Missionsreise. Ihr Erfolg war bemerkenswert; in den folgenden 20 Jahren wurden neun neue Gemeinden gegründet: fünf in Ohio, zwei in Kentucky, eine in Indiana und eine im Westen des Staates New York. Die Zahl der Shaker stieg rapide auf ca. 2 500 Mitglieder an.

Als Lucy 1821 starb, hinterließ sie eine Gemeinde, deren Erfolg selbst Mutter Ann in Staunen versetzt hätte. In den folgenden zwei Jahrzehnten wuchs die Gemeinschaft bis 1840 von etwa 4 000 auf ungefähr 6 000 Mitglieder an, jedoch konnten keinen neuen Gemeinden erfolgreich gegründet werden. Bezeichnenderweise änderte sich die Art Menschen, die zum Shaker-Glauben konvertierten. Die ersten „Believer", Mutter Anns „Erstgeborene", hatten sich zusammengeschlossen, um die schwere Rolle als Außenseiter und die Armut gemeinsam zu überstehen. In den ersten Jahren ein Shaker zu werden, bedeutete Entbehrung, nicht Muße. Aber mit der Zeit wurden die Shaker immer wohlhabender, was sie ihrem einfachen Lebensstil und ihrer Sparsamkeit zu verdanken hatten. Das Leben der Shaker wurde leichter und gewann an Attraktivität für Menschen aus der „Welt".

Bald darauf begannen jedoch die Schwierigkeiten. Die „Tausendjährigen Gesetze", die 1821 kurz nach Mutter Lucys Tod in der ersten Fassung aufgeschrieben worden waren, wurden überarbeitet und erweitert. Sie kodifizierten genau, was ein Shaker zu tun und zu lassen hatte. Einige ältere und sehr religiöse Mitglieder sahen in der steigenden Mitgliederzahl nicht unbedingt einen Segen, denn viele konvertierten wegen der Annehmlichkeiten und nicht aus dem ernsthaften Wunsch nach Seelenheil.

Um 1845 hatte die Zahl der Shaker-Mitglieder bereits ihren Höhepunkt überschritten und begann merklich abzunehmen. Die Familien wurden immer kleiner oder hörten ganz auf zu bestehen. Als

1862 ein Bruder aus New Lebanon die Shaker-Gemeinde in Union Village/Ohio besuchen wollte, traf er auf ein einstmals schönes, nun aber dem Zerfall preisgegebenes Wohnhaus, in dem sich bis unters Dach Schafe und Hühner eingenistet hatten. „Ein ziemlich kostspieliger Hühnerstall", beklagte er sich. Eine Schwester, die 1870 eine Familie in Enfield/New Hampshire besuchte, seufzte: „Nur zehn Schwestern und neun Brüder, wie wenig! Wir wollen beten, daß Ihr hier wieder zahlreicher werdet!" Diese Gebete wurden nicht erhört. Die erste Gemeinde schloß 1875 in Tyringham/Massachusetts.

Heutzutage leben weniger als zwölf Shaker in zwei der vormals 19 Gemeinden: in Canterbury und in Sabbathday Lake. Die ältesten Shaker, die inzwischen 80 und 90 Jahre alt sind, bestätigen, daß ihre „Gattung" vom Aussterben bedroht ist. Fast alle Gemeinden haben innerhalb einer Generation aufgeben müssen.

Wie stellen sich die Shaker ihren zukünftigen Lebensweg vor? Die Älteste Bertha Lindsay, die als Kind nach Canterbury kam und dort mehr als 80 Jahre verbracht hat, erinnert sich voll Traurigkeit an den Beschluß von 1965, den Konvent zu schließen und keine neuen Mitglieder mehr aufzunehmen. Sie sagt: „Wir wollen unsere Türen nicht schließen. Ich möchte, daß die Kirchen sich wieder mit Shakern füllen."

Sie vertraut darauf, daß der Geist der Shaker niemals sterben wird, was immer auch passiert. Sie weist mit Stolz und Genugtuung darauf hin, daß das Interesse an den Shakern eine Renaissance erfährt, die den „alten Shakern" – wie sie sie ehrfürchtig nennt – Bewunderung zuteil werden läßt. Bertha freut sich auch über die Restaurierung von Shaker-Dörfern und die Darstellung ihres Lebens und ihrer Arbeit in Museen. Da es an den meisten Orten, die in diesem Buch vorgestellt werden, keine Shaker mehr gibt, freut es sie um so mehr zu hören, daß ehemalige Shaker-Gemeinden als Museumsdörfer neue Aufmerksamkeit erzielen. In Hancock und in den beiden Shaker-Gemeinden von Pleasant Hill und South Union in Kentucky werden den Besuchern restaurierte Häuser und Möbel im Originalzustand gezeigt. In den Fruitland-Museen in

Harvard/Massachusetts und im Shaker-Museum in Old Chatham/ New York befinden sich fünf wertvolle kunsthandwerkliche Sammlungen. In Sabbathday Lake kann man einen Rundgang durch Shaker-Häuser machen, und man hat dort auch die Möglichkeit, mit „Believern" zu sprechen. Dasselbe gilt für Canterbury, wo eine Museumsgesellschaft, die „Shaker Village Inc.", es sich seit 1974 zur Aufgabe gemacht hat, die Häuser der Glaubensgemeinschaft zu erhalten.

Schwester Frances Carr aus Sabbathday Lake, die eine Generation jünger ist als die Älteste Bertha, hofft, daß sich die Gemeinschaft der Shaker nicht auflöst. Sie weist darauf hin, daß drei engagierte neue Mitglieder in ihrer Gemeinschaft leben, die die frühere Lebensweise in großen Familien fortführen wollen. Obwohl sie das Glaubensbekenntnis noch nicht unterschrieben haben, sind sie vollintegrierte Mitglieder in der Gemeinde.

Mutter Ann selbst sagte den Aufstieg und Niedergang ihrer visionären Gesellschaft vorher. Sie prophezeite, daß sobald die Shaker-Mitglieder an einer Hand abgezählt werden könnten, es eine zweite Blütezeit gäbe. Der Tag, an dem noch fünf Shaker übriggeblieben sein werden, ist vielleicht nicht fern. Die Shaker und die „Welt" können nur zusehen und abwarten. Währenddessen – so sagt die Älteste Bertha – werden die Arbeitskräfte weniger, aber die Arbeit bleibt gleich viel.

Nur wenige Gegenstände aus Mutter Anns Besitz sind erhalten geblieben. Schriftliche Zeugnisse von ihr gibt es nicht. Als typische Vertreterin der Arbeiterklasse im Amerika und Großbritannien des 18. Jh. konnte sie weder lesen noch schreiben. Die Gegenstände, die mit ihr in Verbindung gebracht werden, wurden von den Shakern wie eine Kostbarkeit behandelt. Dieser Schaukelstuhl (dessen Kufen nachträglich an einen alten Windsor-Stuhl angebracht wurden), wurde in Harvard als „Mutter Anns Stuhl" aufbewahrt. Ann Lees Verbindungen zur Gemeinde in Harvard waren von besonderer Art. Nach ihrer missionarischen Reise durch Neuengland lebte sie dort zwischen 1781 und 1783.

27

Das Versammlungshaus in Sabbathday Lake ist seit der Erbauung im Jahre 1794 unverändert geblieben; einzelne Gebäudeteile befinden sich sogar noch im Originalzustand. Die Holzkonstruktion wurde unter der Leitung von Moses Johnson (1752–1842) am 14. Juni 1794 errichtet. Der Baumeister kam eigens aus New Lebanon/New York angereist, um hier denselben Haustyp nach dem Vorbild von New Lebanon zu erbauen. Wie all seine Versammlungshäuser hat auch dieses Gebäude ein Mansarddach und getrennte Eingangstüren, links für die Brüder, rechts für die Schwestern.

28

Das Versammlungshaus in Canterbury/New Hampshire wurde
1792 ebenfalls unter der Leitung von Moses Johnson erbaut
und stellt eine Kopie des Versammlungshauses in New Lebanon
aus dem Jahre 1786 dar. Von der Glockenstube des Wohnhauses
der Church-Familie aus sieht man das typische Mansarddach
und an der Rückseite des Gebäudes das Treppenhaus, das in
die Wohnung der Ministry in den beiden oberen Stockwerken
führt. Die Zimmer im Vordergrund waren von Job Bishop
(1760–1831) bewohnt, einem von Mutter Ann hochgeschätzten
Glaubensmitstreiter, der 1972 von New Lebanon aus ausgesandt
wurde, um die Gemeinde in New Hampshire zu leiten. Seine
„sprichwörtliche Frömmigkeit und sein freundliches Wesen"
trugen viel zum Wachstum dieser Gemeinde bei.

Nach zehn Jahren in Amerika starb Ann Lee im Jahre 1764.
Körperlich geschwächt von den Demütigungen und tief getroffen
vom Tod ihres geliebten jüngeren Bruders William verstarb sie
sechs Wochen nach ihm. Ihre letzte Ruhestätte erhielt sie in
Watervliet/New York.

1805 sandte Mutter Lucy Wright drei Shaker-Brüder auf
Missionsreise nach Westen, dem heutigen Ohio und Kentucky.
Auf dieser Reise, die am Neujahrsmorgen um 3 Uhr begann,
legten die drei Brüder mehr als 1000 Meilen zu Fuß zurück.
Unbeirrbar verfolgten sie ihr Ziel – mit Erfolg. Im Jahre 1815
waren bereits sechs neue Gemeinden im Westen gegründet
worden, zwei weitere sollten noch folgen. Das Ergebnis dieser
Missionsreise gab der gesamten Glaubensgemeinschaft neue
Hoffnung und Kraft.

Pleasant Hill, in der fruchtbaren Gegend um Lexington /
Kentucky gelegen, war eine der ersten dieser Neugründungen.
Auch diese Gemeinde folgte in jeder Hinsicht dem Vorbild von
New Lebanon. Möbel, Architektur, Kleidung und Liedgut waren
in allen Gemeinden gleich. Auf dem Foto sieht man im Hinter-
grund das zentral gelegene Wohnhaus der Center-Familie von
Pleasant Hill.

Das Charakteristische an Shaker-Dörfern ist ihre Sauberkeit
und Schlichtheit. Die Architektur ist schmucklos. „Ausgefallene
und dekorative Baustile" waren also verpönt. Auch die Farbgebung für die Gebäude in den einzelnen Dorfteilen war in den
Gesetzen vorgeschrieben. Holzhäuser entlang der Straße
müssen „einen hellen Farbton" haben; Stallungen und der
Straße abgewandte Häuser sollen dunkler, zum Beispiel rot,
braun oder „bleifarben" sein. Weiß war dem Versammlungsort
vorbehalten.

Diese beiden Nebengebäude von Pleasant Hill spiegeln die
Vorschriften der „Tausendjährigen Gesetze" wider. Im linken
Gebäude ist die Wasserversorgung untergebracht. Es enthält
eine Zisterne mit einem Fassungsvermögen von ca. 67000
Litern für Frischwasser und eine pferdebetriebene Pumpe.
Sie wurde zwischen 1831 und 1833 erbaut. Rechts ist das Bade-
haus der Brüder aus dem Jahre 1860 abgebildet; ein ähnliches
Haus für die Schwestern existiert nicht mehr.

Die Älteste Gertrude Soule strickt gerade ein Babyhäubchen
auf der Veranda des Wohnhauses der Gemeinde Canterbury.
Sie kam als kleines Mädchen mit ihrer Schwester in Maine zu
den Shakern. Heute begrüßt sie die Besucher des Dorfes, wenn
im Sommer und im Herbst die Häuser für Besucher geöffnet
sind. Ihre Warmherzigkeit und ihr Humor überrascht viele
Besucher, die die Shaker für ernst und streng halten. Da ihre
Glaubensgemeinschaft in Amerika auf weniger als zwölf Mitglieder zusammengeschrumpft ist, spricht sie von den Shakern
als von einer „vom Aussterben bedrohten Art". Mit ihren über
neunzig Jahren trägt sie noch immer die Shaker-Kleidung – ein
wadenlanges, in Falten gelegtes Kleid mit einem großen Schulterkragen, auch „Bertha" genannt, und ein gestärktes weißes
Netzhäubchen zum Zeichen ihrer Enthaltsamkeit.

35

Im Gegensatz zu den Amish People, mit denen die Shaker manchmal verglichen werden, waren die Shaker immer zugänglich für technische Neuerungen, wie Elektrizität, haustechnische Installationen, Telefon, Fernsehen und Autos. Das Foto zeigt eine Gruppe von Shaker-Schwestern aus Canterbury im Frühherbst 1918, die mit sichtlichem Vergnügen die Apfelernte eingefahren haben. Die beiden Schwestern in der hinteren Reihe neben der Fahrerkabine leben noch heute in Canterbury. Die Älteste Bertha Lindsay, rechts, ist die Leiterin der Gemeinde; zu ihrer Rechten sitzt Schwester Ethel Hudson, die noch immer das große Haus bewohnt.

DAS LEBEN IN
DER GEMEINDE

DAS EXPERIMENT einer Siedlungsgemeinschaft begann im
Jahre 1787, als Vater Joseph Meacham und Mutter Lucy Wright
etwa hundert „Believer" um sich scharten, um in der Gemeinde von
New Lebanon zu leben und zu arbeiten. Es war ein mutiger und
völlig neuartiger Schritt. Obwohl es in der Mitte des 19. Jahrhunderts viele Versuche in dieser Richtung gab, hatten die Shaker
kein direktes Vorbild. Die Shaker-Familien der ersten Generation,
die meist einfache Leute waren, kannten weder die Moravia-Sied-
lungen in Pennsylvania noch das klösterliche Leben der Katholiken
in Europa. Joseph und Lucy begaben sich auf absolutes Neuland,
und ihre Organisationsstruktur war dabei sehr hilfreich. 1794 –
zwanzig Jahre nach Anns Ankunft in Amerika – gab es elf Shaker-
Dörfer in den Staaten New York und Neuengland.

In den ersten Jahren hatten die Shaker große Schwierigkeiten.
Die Grundstücke, auf denen sie sich zwangsläufig ansiedeln
mußten, waren nicht eben das beste Ackerland im Nordosten.
Mehrere neue Gemeinden konnten nur dadurch gegründet werden,
daß eine den Shakern nahestehende Familie ihr Anwesen für die
Ansiedlung zur Verfügung stellte. Es war jedoch schwierig, auf
einem Bauernhof, der zuvor eine einzige Familie im herkömmlichen Sinn ernährt hatte, nun plötzlich Dutzende von Mitgliedern
aufzunehmen. Überall waren die Shaker in den ersten Jahren damit
beschäftigt, neue Äcker und Wiesen anzulegen, Wohnhäuser für

große Familien zu bauen und Läden für sich und auch andere einzurichten.

Calvin Green beschrieb seine Erfahrung in New Lebanon im Dürrejahr 1788, als er acht Jahre alt war: „Wir hatten wenig Brot, kaum Milch und nur ganz selten Kuchen, Butter oder Käse. Manchmal hatten wir etwas Fisch, Haferbrei, Pökelfleisch, Brühe und Kartoffeln. Lange Zeit waren Kartoffeln unsere Hauptnahrung. Unsere Arbeit war hart, und nie konnten wir uns satt essen. Ich war immer hungrig." Rebecca Clark weiß ähnliches zu berichten. 1791, als sie 21 Jahre alt war,

> „lebten dort etwa 100 Familienmitglieder. In einem Raum
> schliefen 14 Leute. ... Die Häuser waren klein, und das Essen
> war knapp. Alles, was wir mitgebracht hatten, Betten, Bettzeug
> und Kleidung, teilten wir möglichst gerecht unter den Familien-
> mitgliedern auf. ... Wir waren sehr damit beschäftigt, Häuser zu
> bauen, die Lebensmittelversorgung zu verbessern und uns eine
> Lebensgrundlage zu schaffen. Unser Essen war spärlich, aber
> wir aßen es dankbar."

In Canterbury war der Übergang zum Gemeinschaftsleben leichter, da Benjamin und Mary Whitcher schon zuvor „großzügig und pflichtbewußt ihre Türen geöffnet hatten und das Essen mit jeder-

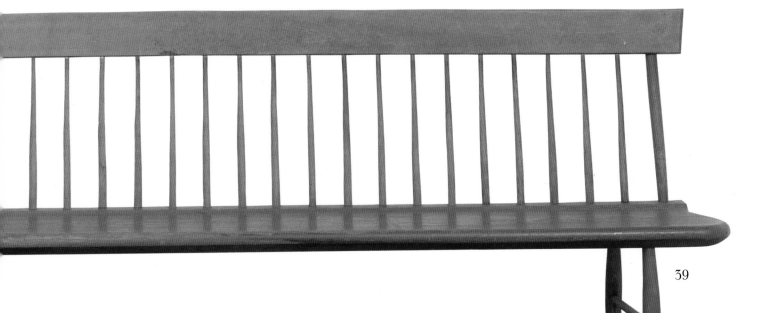

39

mann, der nach der Wahrheit leben wollte, zu teilen bereit waren".
Auf der Farm der Whitchers lebten bereits 43 Personen, als die
Gemeinde von New Lebanon im Jahre 1792 formell gegründet wurde.

Um den Aufbau der Gemeinden zu erleichtern, stellten Vater
Joseph und Mutter Lucy eine hierarchische Ordnung, eine Art
Rangordnung in der Familienstruktur auf. Die erste Gruppe faßte
junge, unverheiratete Menschen zusammen, die als Handwerker
oder Kunsthandwerker im Haus arbeiteten. Die zweite Gruppe
bestand aus jungen, unverheirateten „Believern", die hauptsächlich
draußen arbeiten: als Bauern, Holzfäller oder Schafhirten.
Die dritte Gruppe bestand aus Mitgliedern, die schon länger
zum Glauben konvertiert waren, ehemals Verheiratete. Es waren
hauptsächlich Ladenbesitzer, Kaufleute und Immobilienhändler.
1799 richtete Mutter Lucy zwei zusätzliche Ränge ein – die Gruppe
der Kinder, in der Minderjährige zusammen mit Sorgepflichtigen
lebten; und das Noviziat, in der neue Anhänger „auf Probe" lebten.
Neue Anhänger wurden ungeachtet ihres wirklichen Alters „junge
Believer" genannt. Das System war so flexibel, daß es sich auch
veränderten Erfordernissen anpassen konnte. Zu Beginn des
19. Jahrhunderts bestand die Hierarchie der Shaker-Gemeinden aus
drei verschiedenen Rangstufen. Formale Vereinbarungen regelten
die Beziehungen zwischen den Glaubensmitgliedern und der
gesamten Sekte. Wenn jemand Mitglied werden wollte und die
Leiter der Sekte damit einverstanden waren, gab es nach dem Noviziat zunächst den Rang der Junioren, deren Mitglieder ihre Arbeits-
kraft zur Verfügung stellten, aber ihren privaten Besitz behalten
durften. Die ranghöchste Stufe waren die Senioren, deren Mitglieder das Glaubensbekenntnis unterzeichnet und damit ihre
völlige geistige und materielle Übereinstimmung mit der Sekte
erklärt hatten. Shaker aus dem Rang der Senioren stellten sich ganz
in den Dienst der Gemeinschaft, verzichteten auf ihren Besitz
zugunsten des Gemeineigentums und waren bereit, den Rest ihres
Lebens bei den Shakern zu verbringen.

Um 1825 hatte die Familienstruktur ihre endgültige Form angenommen. Die meisten Gemeinden hatten mindestens drei Fami-

lien. In New Lebanon, der größten Gemeinde, gab es acht.
Die älteste, größte und im Zentrum wohnende Familie war die
„Church-Familie". Die Church-Familie aus dem Rang der Senioren
wohnte als einzige im Versammlungshaus, wo auch die gesamte
Gemeinde zusammenkam. Die anderen Familien wurden nach der
geographischen Lage zur Church-Familie benannt: Ost, West, Nord,
Süd oder andere kennzeichnende Namen, wie Hill oder Brickyard.
Jede Familie hatte ihr eigenes Wohnhaus, eigene Scheunen, Werk-
stätten und Geschäfte. Die Familenmitglieder sollten nicht ohne
triftigen Grund oder ohne Erlaubnis andere Familien besuchen. Die
Bezeichnung „Familie" bedeutete im Gebrauch der Shaker sowohl
einen Ort als auch eine Gruppe von Mitgliedern.

Zusätzlich zu diesem hierarchischen Familiensystem schufen
Joseph Meacham und Lucy Wright noch eine Führungsschicht.
Jede Familie hatte drei Führungsgremien: zwei „Elders" und zwei
„Eldresses" (dt.: der / die Älteste), wovon jeweils einer aus der
Gruppe der Junioren kam und somit Assistent war. Diese beiden
Paare waren für das geistige Wohlergehen und allgemeine Angelegenheiten in der Familie zuständig. Daneben gab es je zwei
„Diakone" und „Diakonissen", unter deren Leitung hauswirtschaft-
liche Dinge, wie Wäscherei und Mahlzeiten, geregelt wurden und
die den Arbeitsplan für die Landwirtschaft erstellten. Sie sorgten
auch für die Bereitstellung von Werkzeug, Möbeln und Kleidung
innerhalb der Familie. Dann gab es noch vier Verwalter, wiederum
zwei von jedem Geschlecht, die die Buchhaltung machten und für
die finanziellen Angelegenheiten der Familie oder für den Handel
mit der „Welt" zuständig waren. Die Ältesten der Church-Familie
waren für die gesamte Gemeinde verantwortlich.

Andererseits waren die Ältesten der Church-Familie auch einer
höheren Autorität verpflichtet: den beiden Ältesten-Paaren der
„Ministry", einer Art Gemeindebezirk. Wie jede Familie einen Teil
einer Gemeinde darstellte, so war jede Gemeinde Teil einer
größeren Einheit, der „Ministry". Der Gemeindebezirk in Maine
hatte zwei Gemeinden: Sabbathday Lake und Alfred; der Gemeindebezirk in New Hampshire umfaßte Canterbury und Enfield. Der

Gemeindebezirk in Hancock hatte die Gemeinden Hancock und Tyringham in Massachusetts und Enfield in Connecticut unter sich. Die Hauptaufgaben jedes Bezirksvorstandes waren, das geistige Wohlbefinden und die Organisation einer jeden in seiner Obhut liegenden Gemeinde zu sichern. Die Führungspersonen der Ministry reisten viel und wohnten jeweils eine Zeitlang in anderen Gemeinden. Sie standen auch mit der Urgemeinde in New Lebanon, die allen Gemeinden als Vorbild diente, immer in engem Kontakt.

Die oberste und höchste Instanz in der Führung der Shaker war die „Parent Ministry", das Oberhaupt der Sekte, in New Lebanon. New Lebanon wurde auch als die „Hauptstadt" der Shaker bezeichnet. Jeder Gemeindebezirksvorstand war dem Oberhaupt in New Lebanon verantwortlich. Die Ältesten in New Lebanon wurden sehr verehrt, da ihr Führungsauftrag in direkter Linie von Mutter Ann abstammte. Ann wählte Vater Joseph und Mutter Lucy zu ihren Nachfolgern aus. Lucy bestimmte Ebenezer Bishop und Ruth Landon in der weiteren Nachfolge, und so weiter. Normalerweise folgten die Juniorpartner ihren Seniorpartnern ins Amt der Ältesten.

Nachdem der strukturelle Rahmen geschaffen war, mußten die Shaker die Anforderungen, die das gemeinschaftliche und zölibatäre Leben an sie stellte, bewältigen. Die Kombination war so ungewöhnlich, daß die meisten weltlichen Beobachter es kaum begreifen konnten. „Sie geloben die Keuschheit und teilen alles miteinander", beobachtete ein schottischer Besucher 1841. „Wie sie das mit ihren Kämmen und Zahnbürsten handhaben, habe ich nicht zu fragen gewagt." Nathaniel Hawthorne bemängelte das fehlende Privatleben. Charles Dickens spottete verächtlich, daß Gerüchte über heimliche Liebesabenteuer absurd wären, wenn alle Shaker-Frauen so unattraktiv seien wie diejenige, die er kannte. Gelassen und unbeirrt setzten sich die Shaker über solche weltlichen Ansichten hinweg und versuchten, ihre Probleme mit gesundem Menschenverstand, Barmherzigkeit und der Gabe des Verzeihens zu meistern.

Ein Schlüssel zum Erfolg war die Ordnung in allen Bereichen.
Für eine Familie war es am einfachsten, alles nach einem gemeinsamen Zeitplan zu tun: zur gleichen Zeit aufzustehen, zu festen Zeiten zum Essen zu kommen, gemeinsam mit der Arbeit zu beginnen und aufzuhören und um dieselbe Zeit schlafen zu gehen. Dementsprechend führten die Shaker verschiedene Klingelzeichen für bestimmte Zwecke ein. Die „Believer" standen im Sommer mit der Glocke um 4 Uhr 30 auf, knieten zum Gebet nieder und schlugen die Betten zum Lüften zurück. (Im Winter stand man um 5 Uhr 30 auf.) Innerhalb einer Viertelstunde waren sie angezogen und hatten ihre Schlafräume verlassen. Frühstück gab es anderthalb Stunden nach dem Aufstehen, Mittagessen war um 12 Uhr und Abendessen um 18 Uhr.

Die „Believer" betraten den Speisesaal in Reih und Glied. „Wenn ihr zu Tisch geht, sollt ihr nicht reden, lachen, spotten, jemandem zublinzeln, nicht an Geländern herumlungern, einander nicht umarmen, berühren oder herumscharwenzeln", ermahnten die „Heiligen Regeln" von 1841. Die gleichen Regeln galten bei Tisch. Die „Believer" knieten zum gemeinsamen stillen Gebet nieder und aßen schweigend – eine verständliche Regel für jeden, der das Stimmengewirr von 100 Leuten schon einmal gehört hat.

In der Woche gab es abends regelmäßig Familientreffen. Die Montage waren frei. Versammlungen begannen im Sommer um 19 Uhr 30 (im Winter eine halbe Stunde später) mit einer vorangehenden gemeinsamen Mußestunde, einer Zeit ohne unnötige Gespräche und Bewegungen. Nach diesen Treffen zog sich die Familie zurück. Die Bewohner eines Schlafraumes wurden dazu angehalten, zur selben Zeit ins Bett zu gehen, auch wenn noch dringende Arbeiten anstanden. Die Brüder und Schwestern durften danach ohne die ausdrückliche Genehmigung des Familienvorstandes nicht mehr aufstehen, um etwa zu arbeiten, zu lesen oder zu schreiben. Diese Regelung verhinderte, daß der einzelne zuviel Interesse an seiner eigenen Person entwickelte. Auch die Feuergefahr durch offenes Licht wurde dadurch kleiner. Die „Tausendjährigen Gesetze" von 1845 verboten sowohl das Benützen von

Lampen und Kerzen, wenn sie nicht von einer Laterne umschlossen waren, als auch das Rauchen während der Arbeit.

Ordnung war auch im Haus sehr wichtig. Um ein Chaos in Wohnhaus und Werkstätten zu vermeiden, wurden Möbelstücke und Werkzeuge oftmals nach ihrem Standort gekennzeichnet; Mutter Ann hatte ihre Schar angewiesen, die Dinge so aufzuräumen, daß sie Tag und Nacht gefunden werden konnten. Die gegenseitige Rücksichtnahme war ein wesentlicher Bestandteil des täglichen Lebens. Den „Believern" wurde beigebracht, leise zu sprechen und sich zu bewegen. „Ihr sollt wie Engel aneinander vorbeigehen", sagte Vater William Lee. Während des amerikanischen Bürgekriegs verirrte sich ein Texas-Ranger nach South Union, und er konnte nicht glauben, daß 90 Leute unter einem gemeinsamen Dach leben konnten. „Bei uns gäbe es Mord und Totschlag", erklärte er.

Einheitlichkeit war ein weiterer Grundsatz der Shaker. Keiner durfte bessere Dinge haben als der andere. Die Möbel wurden aufs Notwendigste beschränkt, um Einfachheit und Ordnung zu gewährleisten. Die Schlafräume waren überall mit einem Stuhl und einem schmalen Einzelbett für jeden Bewohner, einem Holzofen, einem Läufer, einem Waschbecken, einem Spiegel sowie Handtüchern, ein paar Besen und Bürsten und ähnlichem ausgestattet.

Das Zölibat erforderte ebenfalls gewisse Regelungen. Die Shaker unterschieden sich von anderen zölibatären Sekten dadurch, daß sie ihre männlichen und weiblichen Mitglieder nicht in getrennten Wohnhäusern unterbrachten. Statt dessen bewohnten die Brüder und Schwestern verschiedene Flügel im Familienwohnhaus. Den einzelnen Mitgliedern war es verboten, enge persönliche Beziehungen zum anderen Geschlecht aufzubauen, um nicht in Versuchung zu geraten. Vater Joseph merkte jedoch bald, daß Freundschaften zwischen Brüdern und Schwestern eine gute Sache waren, solange es dabei blieb. Zu diesem Zweck führte er gesellige Hausabende ein, an denen sich die „Believer" ungezwungen treffen oder miteinander singen konnten. Es gab drei solcher Hausabende pro Woche. Die Zusammensetzung der Gruppe wurde gelegentlich

44

geändert, um neue Freundschaften zu fördern und um Romanzen gar nicht erst entstehen zu lassen.

Mädchen und Jungen wurden strenger getrennt als Erwachsene. Es gab getrennte Jungen- und Mädchenhäuser mit zwei verantwortlichen Personen des jeweiligen Geschlechts für jede Gruppe. Obwohl Mädchen und Jungen die gleiche Ausbildung genossen, besuchten sie die Schule zu verschiedenen Jahreszeiten – die Mädchen im Sommer, während die Jungen in der Landwirtschaft gebraucht wurden, und die Jungen im Winter. Ein Schul„jahr" dauerte jeweils drei Monate. Kinder, die bei den Shakern aufwuchsen, kamen entweder mit ihren Eltern oder wurden aus zerrütteten Familien aufgenommen. Das Schulsystem war demjenigen der „Welt" sehr ähnlich. Die Schüler lernten aus Büchern, absolvierten aber auch eine handwerkliche Ausbildung. Obwohl die Jugendlichen, die bei den Shakern aufgewachsen waren, sich nicht verpflichten mußten, das Glaubensbekenntnis zu unterzeichnen und nach Vollendung ihres 21. Lebensjahres der Gemeinde weiterhin anzugehören, hofften die älteren „Believer" natürlich, daß sie blieben und die Arbeit und die religiösen Werke der Shaker weiterführen würden. Zu ihrem Leidwesen wurde viele junge Leute entweder gewaltsam von ihren Familien zurückgeholt oder verließen die Sekte aus eigenem Willen, um die verlockende „Welt" kennenzulernen.

Nicht alle, die sich den Shakern angeschlossen hatten, konnten sich mit diesem Leben identifizieren. Nicht jeder, der ein Shaker werden wollte, konnte diese Forderungen erfüllen. Dokumente der Shaker berichteten immer wieder über den Fortgang von „Believern". Jene, die die Shaker auf offene und ehrliche Art und Weise verließen, ließ man barmherzig, jedoch enttäuscht ziehen. 1833 bat Peter Peterson in allen Ehren um seinen Austritt. Er erhielt Kleidung, eine Barschaft von 40 Dollar, und man bezahlte ihm seine Reise mit einer Postkutsche nach Albany. Ein Bruder war ihm sogar noch beim Tragen seiner Koffer behilflich. Weitaus häufiger war es jedoch, sich heimlich aus dem Staub zu machen. „Believern", die diesen Weg wählten, wurde im allgemeinen nicht sehr nachgetrauert, weil sie bereits zuvor Schwierigkeiten hatten, sich dem Leben der Shaker anzupassen. 1816 notierte ein „Believer": „Rebecca Quicksels hat uns verlassen – ein Glück, daß wir sie los sind!" „Believer", die sich nicht entscheiden konnten, wurden manchmal – mit mehr oder weniger Erfolg – zu einem neuen Versuch wieder aufgenommen. Als Silvanus Rice aus New Lebanon 1816 ein zweites Mal in die „Welt" hinausging, schrieb ein Bruder: „Das ist schon seine zweite Reise, und ich wette, daß er die Straße des Verderbens jetzt richtig kennengelernt hat." Mitläufer erhielten den Spitznamen „Winter-Shaker" (da die Arbeit in dieser Jahreszeit leichter war) oder auch „Brot-und-Butter-Shaker".

Die Schuld am Niedergang der Shaker wird oft dem Zölibat angelastet. Das ist jedoch nur bedingt richtig. Zwar verhinderte das Zölibat einen natürlichen Nachwuchs, hatte jedoch den Vorteil, daß die Menschen, die in Shaker-Dörfern lebten, ihre Wahl frei getroffen hatten und freiwillig bereit waren, dieses Opfer zu bringen. Demzufolge waren viele Shaker der absoluten Überzeugung, daß ihre Art zu leben der einzige Weg zur Erfüllung war. Als 1851 ein betagter Bruder gefragt wurde, warum er so vergnügt sei, antwortete dieser: „Warum? Ich kann auch nichts dafür, ich vertraue auf die Wege Gottes, ich liebe und achte meine ‚Ältesten', und diese wiederum lieben und achten ihre Ministry, und die Ministry ist mit dem Himmel verbunden – wie kann ich anders als glücklich sein?"

Die Steinmauer, die das Gebiet des Gemeindehauses in Canterbury im Süden abgrenzt, wurde 1793 aus großen Granitblöcken errichtet, die vermutlich mit Hilfe von Ochsen herangeschleppt wurden. Einige Granitbrocken haben einen Durchmesser von mehr als einem Meter. Die Steinmauer ist wie ein Symbol der Gemeinde selbst – das Ineinanderfügen verschiedenster Teile zu einem Gesamtwerk ist mehr als nur die Summe einzelner Bestandteile. Im Hintergrund ist das Versammlungshaus zu sehen, das 1792 in Gemeinschaftsarbeit der neu gegründeten Shaker-Gemeinde entstanden ist.

Das Versammlungshaus in New Lebanon war das größte und eindrucksvollste seiner Art – und zugleich die Mutterkirche der gesamten Shaker-Sekte. Bis zu 500 „Believer" kamen hier zu den öffentlichen Versammlungen.

Das Versammlungshaus wurde 1824 anstelle des ursprünglichen, kleineren Hauses gebaut, das als Modell für andere Shaker-Häuser in New York und Neuengland diente. Das Erdgeschoß bestand aus einem über zwei Stockwerke reichenden großen Saal von 20 x 24 m Grundfläche, der nicht durch Säulen unterbrochen wurde. Säulen hätten bei der Ausübung des ekstatischen religiösen Tanzes im Wege gestanden.

Ein Blick auf den Speicher des Versammlungshauses in New Lebanon zeigt den gewaltigen Dachstuhl, der es möglich machte, daß in dem einzigen großen Raum im Erdgeschoß keine Säulen als Stützen nötig waren. Ein Holzsteg führt der Länge nach durch das Gebäude, zwischen der Dachwölbung und der weniger gekrümmten Decke darunter. Eine speziell angefertigte Leiter für Dachreparaturen liegt auf dem Speicher.

Da Kunst an sich wegen ihres „fehlenden Gebrauchswertes" für die Shaker nicht in Frage kam, orientierten sie sich auf das Anfertigen von Plänen ihrer Dörfer, die bei der Gemeindeplanung von Nutzen waren und vielleicht auch der religiösen Übung dienten, um diesen „Himmel auf Erden" darzustellen.

Der „Plan der Ersten Familie in Harvard" zeigt die Hauptstraße des Dorfes, die parallel zu einem Kanal verläuft. Unter den Häusern der Church-Familie befinden sich das Versammlungshaus mit dem Mansarddach, zwei große Wohnhäuser, ebenfalls mit Mansarddach, eine Schule, verschiedene Geschäfte, Stallungen und Scheunen. Im Wohnhaus mit dem Walmdach an der Grenze zum Obstgarten wohnte Mutter Ann während ihres verlängerten Aufenthaltes zwischen 1781 und 1783. Es ist eines der wenigen noch existierenden Häuser in den Vereinigten Staaten, von denen man weiß, daß sich Mutter Ann darin aufhielt.

Die Anhänger, die Mutter Ann damals gewinnen konnte, gründeten 1790 die Gemeinde Hancock. Hier wohnten um 1840, zu Zeiten ihrer größten Ausdehnung, fast 250 Gemeindemitglieder in sechs Familien.

Die Gebäude der Church-Familie von Süden, von links nach rechts: das Gartengerätehaus (dieses Nebengebäude wurde später hinzugebaut); die große Wäscherei und ein Maschinenhaus (ca. 1800); das Versammlungshaus (1790); das Wohnhaus in Ziegelbauweise (1830); der Hühnerstall (1878); das rötliche Gerber-Haus, in dem Leder gegerbt wurde; und der „Runde Stall" (1862) mit der Molkerei (1939).

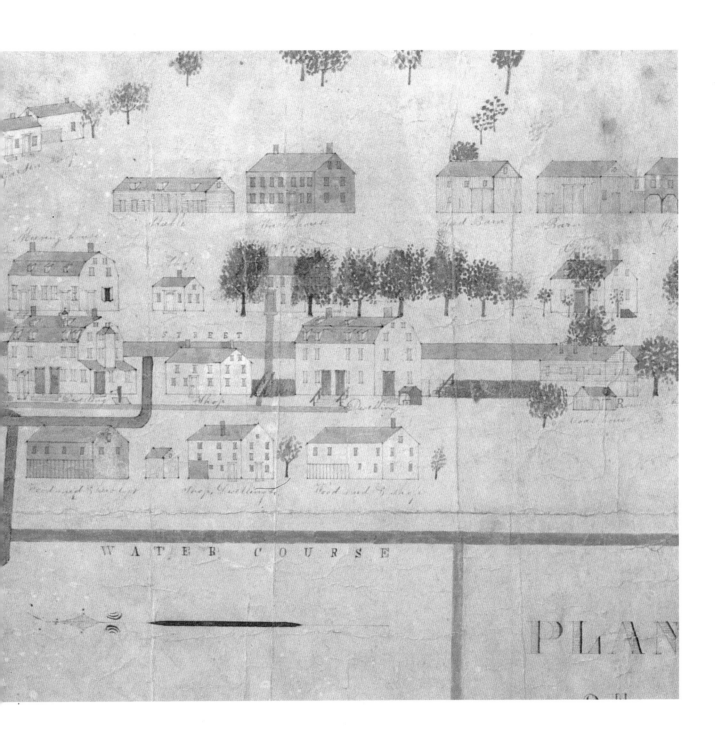

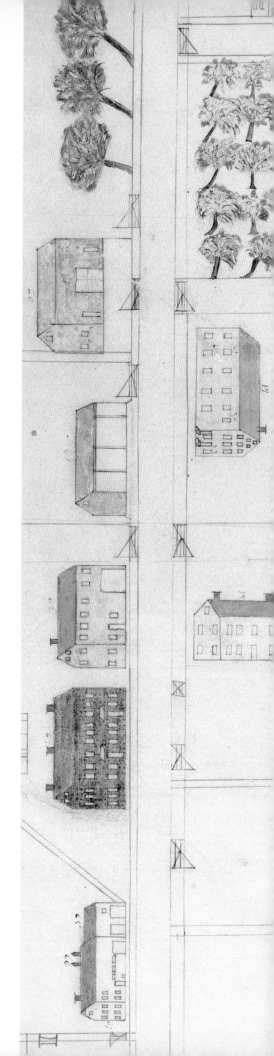

Der Plan von 1848 des Shaker-Dorfes in Canterbury zeigt
Gebäude, Äcker, Obstgärten und Teiche. Bei den dargestellten
Häusern handelt es sich um Gebäude der Church-Familie:
ein Wohnhaus für Erwachsene, ein Mädchen- und ein Jungenhaus, ein Schulgebäude, eine Krankenstation, ein Handelsbüro,
ein Versammlungshaus mit Mansarddach, das Ministry-Haus
und eine Reihe von Scheunen und Werkstätten wie Spinnerei,
Backhaus, Molkerei, Laden für Saatgut, Arztpraxis, Schuh-
macherei, Scheinerei, Weberei, Schnapsbrennerei, ein Laden
für Kräuterpräparate, Kelterei, Druckerei, Metzgerei, Schmiede
und die Werkstatt des Kesselflickers.

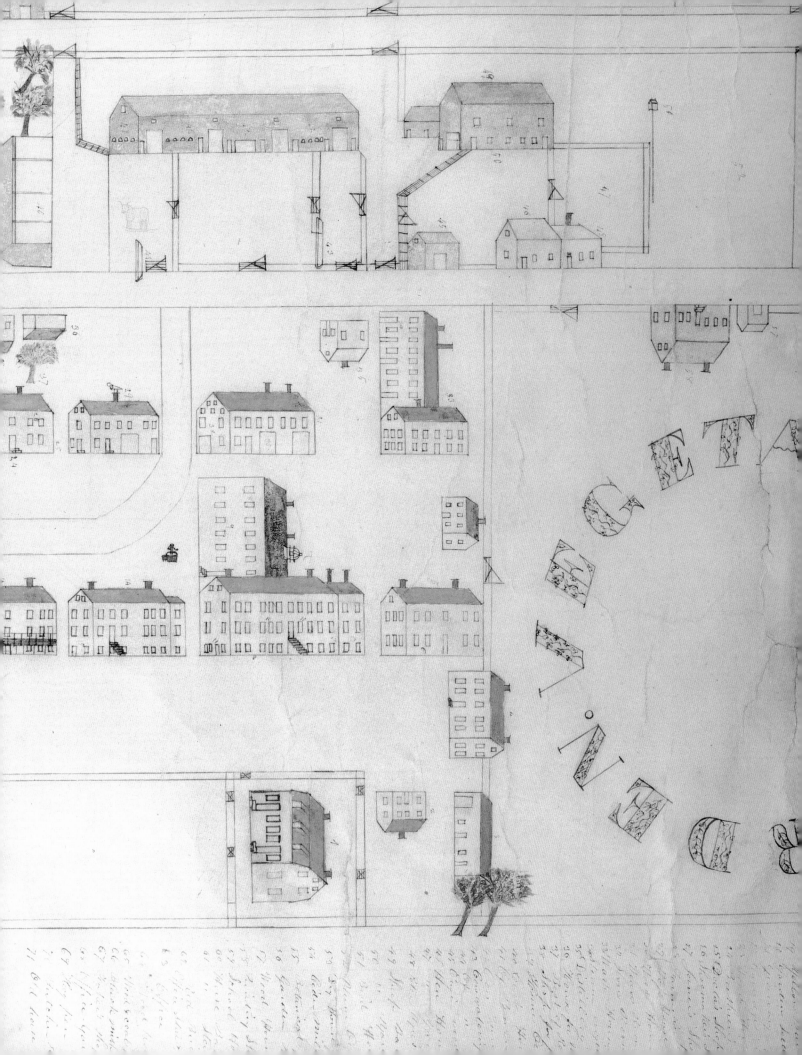

Der Blick zwischen dem Jungenhaus und der Spinnerei von Sabbathday Lake hindurch nach Osten zeigt die spartanische Einfachheit der Shaker-Architektur. Obwohl die Regeln einen weißen Anstrich nur am Versammlungshaus zuließen, gingen die Shaker am Ende des 19. Jahrhunderts dazu über, mehr Häuser weiß anzustreichen.

Die Wohnhäuser und Werkstätten waren ungewöhnlich groß und – für den Geschmack mancher Besucher – viel zu leer. Wirtschaftsgebäude wurden gewöhnlich rot, hellbraun oder gelb angestrichen, die teurere weiße Farbe war nur dem Versammlungsort vorbehalten. Wie die gesamte Architektur der Shaker, ist auch diese Werkstatt in New Lebanon vollkommen schmucklos.

54

Die Bauzeit des hübschen Wohnhauses der Center-Familie von South Union dauerte von 1822 bis 1833. Als 1824 die Wände und das Dach fertig waren, fügte man auch die Jahreszahl in die Mauer ein. Das Wohnhaus war der ganze Stolz des Ältesten Benjamin Seth Youngs (1774 bis 1855), einem vielseitigen und fähigen Gemeindeoberhaupt, der unter anderem auch Glocken gießen konnte.

Obwohl das Haus nicht mit der üblichen Doppeltür für Brüder und Schwestern ausgestattet ist, hat es zwei gegenüberliegende Außentreppen. Die Brüder wohnten auf der rechten, die Schwestern auf der linken Seite des Hauses. Das Haus hat 40 Zimmer auf vier Stockwerken. Im Halbkeller sind Küche, Speisesaal, Backstube und sechs Lagerräume untergebracht. Im Erdgeschoß liegen zehn Schlafräume und der große Versammlungsraum. Im Obergeschoß gibt es zehn weitere Schlafräume, im Dachgeschoß ebenfalls Schlafräume, den Flur zur Wohnung der Ältesten und einen großen Dachboden.

Ab der Mitte des 19. Jahrhunderts hatte es sich eingebürgert,
für die beiden Ältesten der Ministry ein eigenes Haus zu bauen.
Bis zu dieser Zeit wohnte die Gemeindeleitung in den oberen
Stockwerken des Versammlungshauses. Die neuen Ministry-
Häuser, meist in unmittelbarer Nachbarschaft zum Versamm-
lungshaus, waren geräumiger und bequemer.

Das Ministry-Haus in Sabbathday Lake wurde 1839 erbaut und
1875 erweitert. Schlafräume und Büros der Ältesten lagen im
Obergeschoß. Die Ältesten lebten und arbeiteten im Erdgeschoß. Mitglieder der Ministry, die aufgrund herausragender
Fähigkeiten und ihrer vorbildlichen Lebensweise gewählt
wurden, waren sehr geachtete Persönlichkeiten bei den Shakern.

Das Foto zeigt die rückwärtige Ecke des Kräuter-Hauses (1824) in Sabbathday Lake, an der das sparsame Denken der Shaker deutlich wird. Während das Gebäude an den von der Straße aus sichtbaren Seiten mit Deckleisten verschalt ist, besteht die Rückseite nur aus einfachen Schindeln.

Dieser Blick auf das Versammlungshaus in Sabbathday Lake zeigt die typische Neigung des Mansarddaches. Durch die Mansardenfenster dringt Licht in die beiden Obergeschosse, die als Wohnung der Ältesten, dem Vorstand des Gemeindebezirks Maine, dienten.

Das Wohnhaus der Center-Familie in Pleasant Hill ist eines der besten Beispiele für den Shaker-eigenen Baustil. Wie bei allen Gebäuden der Shaker beruhte der Baustil dieses Hauses auf den Grundlagen der amerikanischen Tradition, die ihrerseits wiederum aus England stammt. Die Planung wurde den Zwecken der Shaker angepaßt und der Bau selbst mit Präzision und handwerklichem Geschick ausgeführt.

Der Kalksteinbau wurde 1824 begonnen und zehn Jahre später fertiggestellt. Wie die meisten Gebäude der Shaker ist er aufgeteilt in je eine Hälfte für Brüder und Schwestern. Man nimmt an, daß die Brüder die östliche, die Schwestern die westliche Seite bewohnten. Nach Fertigstellung des Hauses zogen hier fast 100 Mitglieder der Center-Familie ein.

Es gibt mehr als 40 Räume auf insgesamt vier Stockwerken. Im Untergeschoß befinden sich Küche, Lebensmittelkeller und ein kleiner Speiseraum für die Ältesten der Ministry. Im Erdgeschoß sind der gemeinschaftliche Speisesaal, die Hauptküche und zwei Backstuben, der Flur, sechs Schlafräume und zwei Ankleideräume untergebracht. Im ersten Stock gibt es sechs weitere Schlafzimmer, zwei Ankleideräume, einen großen Versammlungsraum und eine Krankenstation mit insgesamt vier Zimmern. Eines dieser Zimmer war vermutlich der Ordinationsraum, die anderen sind völlig getrennte Krankenzimmer, möglicherweise um die Verbreitung ansteckender Krankheiten zu verhindern. Das Dachgeschoß enthält zwei Schlafräume, einen Lagerraum mit Dachfenstern und Einbauschubladen und vier kleinere Räume zur Aufbewahrung von Kleidung. Ganz oben führt eine außerhalb der Mittelachse stehende Luke auf eine Dachterrasse. Sie bietet einen wundervollen Blick über das Dorf und die hügelige fruchtbare Landschaft.

Ein Blick vom Wohnhaus der Center-Familie in Pleasant Hill zeigt von links nach rechts: das Verwaltungsbüro (1839), wo Besucher empfangen und Geschäfte abgewickelt wurden; das Ministry-Büro (1820), in dem die beiden Ältesten ihre Amtsgeschäfte führten; und das große weiße Versammlungshaus (1820), in dem die Familien sonntags zur Andacht zusammenkamen.

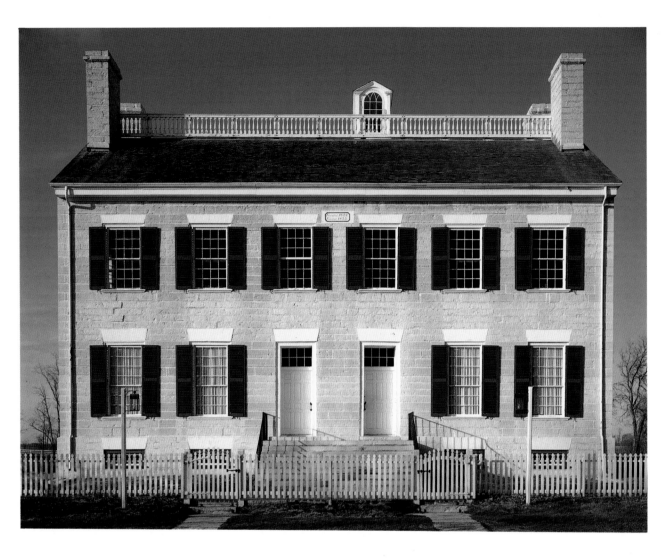

Die Shaker von Sabbathday Lake erbauten diesen Wasserturm im Jahre 1903. Er steht hoch über dem Wohnhaus der Church-Familie mitten im Obstgarten. Er stellte die Wasserversorgung der ganzen Gemeinde sicher. Die Versorgung mit Trinkwasser und die wasserkraftbetriebenen Maschinen für eine große Gemeinde warfen besondere Probleme auf, die von den Shakern erfinderisch und in den einzelnen Gemeinden ganz unterschiedlich gelöst wurden. Die Shaker in Hancock waren besonders stolz auf fließendes Wasser in den ersten beiden Stockwerken ihres neuen, 1830 erbauten Wohnhauses der Church-Familie. In New Lebanon beschäftigte der Bau eines Wasserreservoirs, eines Aquädukts und anderer Installationen die Brüder das ganze 19. Jahrhundert über. Eine Schwester schrieb 1895 folgende ironische Zeilen über die Arbeit der Brüder:

Ein unbefangener Betrachter könnte meinen, die Brüder spielen nur: Dauernd hantieren sie mit irgendwelchen Geräten. Aber bei näherem Hinsehen erweist sich ihr Spiel als Messen, Rechnen, Planen und Gestalten. Sie gestalten das Blockhaus, das Gartentor und vieles mehr. Sogar ihre Rohre verlegen sie selbst, um nur ja keinen Klempner zu holen, auch wenn es den Sommer kostet. Das nämlich ist die Philosophie von General Grant. Uns wurde gesagt, der Mensch sei aus Staub. Wenn das so wäre, müßten die Brüder eigentlich schweben. In Wirklichkeit aber treten sie fest auf, und ihre Schuhe stecken manchmal im Schlamm.

Das Wohnhaus der Church-Familie von Hancock wurde von 1830 bis 1831 erbaut und beherbergte anfangs etwa 100 „Believer". Das große Gebäude hat 45 Zimmer auf sechs Stockwerken: einen zweistöckigen Dachboden, zwei Stockwerke mit Schlafräumen, das Erdgeschoß mit einem Familien-Versammlungsraum und einem Speisesaal und das Kellergeschoß mit Vorratskellern und einer großen Küche.

Das Foto zeigt die von den Brüdern bewohnte Ostseite, links ist der Eingang zum kleinen Ministry-Speisesaal, daneben der große Speisesaal, rechts der Hauseingang für die Brüder.

Der Älteste William Deming (1779–1849), Architekt und Baumeister, beschrieb 1832 das neu entstandene Haus:
„Zehn Wochen nachdem wir im Keller den Grundstein legten, war das Haus hochgezogen und das Dach gedeckt... Die Arbeit ist gut gelungen. Es gibt im ganzen Land nichts, was das Haus übertreffen könnte. Wir haben alle Baustoffe – wie z.B. Sand, Kalk, Steine usw. und auch das ganze Bauholz, mit Ausnahme des Fußbodenmaterials – selbst zusammengetragen. Wir haben alle Fenster, Türen, Schränke und Schubladen selbst gemacht, mitsamt dem Zubehör. ...Alles in allem belaufen sich die Kosten auf etwa 8 000 $."

Weiter fügt er hinzu:
„Ihr denkt jetzt sicher, daß unsere Kasse leer ist, was ja auch stimmt. Aber was wir im Gehorsam gegenüber Mutter Anns Worten gegeben haben, werden wir auch wiedergewinnen. Ihre kostbaren Worte waren: ,Von uns die Arbeit, von Gott der Segen.' Dies ist für uns wahr geworden."

Die Schwestern-Werkstatt der West-Familie wurde 1844 gebaut und war damit eine der letzten Hauptgebäude in Pleasant Hill. Die Schwestern der West-Familie gingen hier ihrer Arbeit nach, möglicherweise dem Korbflechten oder dem Nähen von Häubchen oder Kleidern. Das Haus ist für seine Zeit etwas altmodisch. Die symmetrisch angeordnete Fassade, die aus Georgia bekannt ist, war Jahrzehnte früher in Mode. Jedoch sitzen Gaube und Eingangstür nicht genau in der Mitte. Um die Form an die Funktion anzupassen, wurde die sonst strenge Symmetrie aufgegeben. Die Anordnung paßt sich der Aufteilung im Innern an.

Das Shaker-Leben in der Gemeinde lief nach einem strengen Zeitplan ab. Die Zeiten für Aufstehen, Essen, Versammlungen und Arbeit wurden von einer Glocke verkündet. Das war viel praktischer, als jedem Mitglied eine Uhr zu geben oder jede Werkstatt und jeden Schlafraum mit einer Wanduhr auszustatten.

Diese Glocke, die ursprünglich auf dem Wohnhaus der Gemeinde in Alfred angebracht war, kam 1967 nach Sabbathday Lake.

Der Hausgang im ersten Stock des Wohnhauses der Church-Familie in Hancock trennt die Schlafräume der Brüder auf der linken Seite von denen der Schwestern auf der rechten Seite. Der Glockenstrang in der Mitte erinnert an die unsichtbare, aber starke Trennungslinie zwischen Frauen und Männern. Die Shaker waren deshalb so außergewöhnlich unter den zölibatären Sekten, weil sie Männer und Frauen unter einem Dach vereinten – eine Situation, die zu ihrem strengen Gelübde hinzukam. Ein Ältester verglich einmal seine Sekte mit „Mönchen und Nonnen ohne Schloß und Riegel".

Das Glockenseil geht von der Glockenstube auf dem Dach über sechs Stockwerke hinunter zur Küche im Keller. Die Glocke kann bequem und sicher von jedem Stockwerk aus geläutet werden.

Diese Aufnahme vom Speisesaal desselben Hauses zeigt einen Speiseaufzug des Ältesten William Deming (1779–1849), der mit der Konstruktion beauftragt wurde. Zweifelsohne freuten sich die Schwestern über weniger Lauferei nach den Mahlzeiten.

Die zweigeteilte Wendeltreppe im Verwaltungsbüro von Pleasant Hill zeigt die schlichte Pracht der Shaker-Architektur. Die Treppen schwingen sich über drei Stockwerke nach oben und enden in einem mit Dachfenstern erhellten Raum. Dieses Gebäude, von 1839 bis 1841 erbaut, war das Büro, wo die Geschäftsleute der Shaker sich mit Leuten von außerhalb trafen. Die Gäste bekamen Essen und Unterkunft und konnten Einkäufe und Verkäufe sowie andere Geschäfte abwickeln.

In den Shaker-Wohnhäusern gab es normalerweise auch ein abgetrenntes Eßzimmer für die Ministry, die beiden Ältesten, die für zwei oder drei Gemeinden zuständig waren. Hier, in Hancock, liegt das Eßzimmer der Ministry neben dem großen Speisesaal der Church-Familie. Es gab einen separaten Zugang, so daß die Mitglieder der Ministry nicht über den Hauptflur gehen mußten. Der eigentliche Vorteil eines separaten Eingangs lag darin, daß die Mitglieder der Ministry von den Familien der Gemeinde etwas abgeschieden lebten und so in ihrer Funktion als Berater oder Schlichter objektiv sein konnten. Dies ist vergleichbar etwa mit einem Offizier, der von seiner Mannschaft getrennt lebt.

Der kleine auf Böcken stehende Tisch wurde für diesen Raum konzipiert. Die Shaker bevorzugten auf Böcken stehende Eßtische, da sie mehr Beinfreiheit ließen. Die „Believer" hatten keine eigene Töpferei. Sie kauften Eßgeschirr, wie z. B. dieses schlichte weiße englische Porzellan, außerhalb ein.

Vorhergehende Doppelseite:
Die Shaker-Wohnhäuser hatten große Versammlungsräume, in denen die Familie zu abendlichen Treffen während der Woche oder sonntags zusammenkam, wenn es das Wetter nicht zuließ, zum Versammlungshaus der Gemeinde zu gehen. Die „Believer" brachten ihre Stühle in den geräumigen Saal mit. Das Foto zeigt eine Hälfte des Versammlungsraumes im Wohnhaus der Church-Familie. In den Anfangszeiten trafen sich hier bis zu 100 Mitglieder. Ursprünglich konnte der Raum durch zwei Trennwände abgeteilt werden. Es entstanden zwei kleine Räume für getrennte Versammlungen von Brüdern und Schwestern sowie ein Mittelgang. Die Trennwände gibt es nicht mehr, aber das Rollsystem in den Decken funktioniert noch immer.

Die Shaker-Architektur in Kentucky ist gekennzeichnet durch höhere Decken und großzügigere Flure im Gegensatz zu den behaglichen und gemütlichen Häusern in New York und Neuengland. Die hohen Räume waren im heißen Klima des Südens sehr angenehm. Das Bogenelement ist ebenfalls ein typisches Merkmal der Shaker-Häuser in Kentucky. Die Situation auf dem Foto zeigt eine Tür mit Oberlicht und einen Shaker-Stuhl mit Rückenlehne, der umgekehrt an der Hakenleiste aufgehängt wurde, um keinen Staub auf die Sitzfläche kommen zu lassen.

Im Hintergrund, am Ende des Flures, ist der Versammlungsraum der Center-Familie von South Union mit den beiden Öfen
zu sehen. Eine Besonderheit ist die Wange, in die die Geländer-
sprossen greifen. Dieses Detail ist vielleicht auf Wunsch der
Schwestern entstanden, die dadurch den Fußboden leichter
wischen konnten.

Der Speisesaal der Church-Familie in Hancock zeigt zwei
typische und praktische Details: einen kleinen Einbauschrank,
möglicherweise für Speiseutensilien, und ein Fenster in der
Innenwand, das das Treppenhaus auf der anderen Seite der
Mauer mit Tageslicht versorgt. Ebenso typisch ist die Kombination von Holz und weißem Putz wie auch die durchgehende
Hakenleiste zum Aufhängen von Haushaltsgegenständen.

Das Treppenhaus auf der gegenüberliegenden Seite führt vom
Speisesaal zur im Keller liegenden Küche. Zwei Ofenrohre
verteilen die Wärme eines der beiden Hauptkamine.

Entsprechend den Anweisungen von Mutter Ann benützten die Shaker ganz einfache Gedecke. „Legt mir nie Silberlöffel oder ein Tischtuch hin", mahnte sie. „Eure Tische sollen so sauber sein, daß man ohne Tischtuch essen kann. Und wenn ihr nicht wißt, wohin mit den Tischtüchern, verschenkt sie den Armen." Die „Believer" benützten anfangs Holz- oder Zinngeschirr, später kauften sie schlichtes weißes Porzellan.

Dies ist das kleine Eßzimmer der Ministry im Halbkellergeschoß des Wohnhauses der Center-Familie von Pleasant Hill. Der große Speisesaal befindet sich im Erdgeschoß. Die Ministry aß, lebte und arbeitete getrennt von den Gemeinde-Familien, um sich unter Ausschaltung jeglicher Subjektivität der Führung der Gemeinde widmen zu können.

Die beiden Paare der Ältesten, die einen Gemeindebezirk leiteten, widmeten sich ganz der geistigen Führung und dem Wohlergehen der Gemeinden in ihrem Bezirk. Sie bestimmten die Ältesten einer Familie und sorgten für das geregelte Leben innerhalb der Gemeinde gemäß den Richtlinien, die vom Oberhaupt in New Lebanon aufgestellt wurden. Reisen zu den einzelnen Gemeinden und nach New Lebanon gehörten zu den wichtigen Aufgaben des Gemeindebezirksvorstandes.

Ein Blick ins Büro des Gemeindebezirksvorstandes, das sich heute im Fruitlands-Museum befindet, vermittelt einen Eindruck von ihrer Arbeit. Der anmutige, auf Blöcke gestellte Tisch wurde in Harvard angefertigt und war dort vielleicht der Eßtisch der Ministry. An dem relativ kurzen Tisch hatten vier Personen bequem Platz. Eßtische für die großen Familien der Gemeinde waren meistens viel länger. Die Tischfläche wurde aus zwei breiten Kiefernbrettern gefertigt.

Auf dem Dachboden des Ministry-Hauses in Sabbathday Lake
sieht man eine Reihe praktischer Gegenstände. An diesem
Holzgestänge in einer Kammer hing jeweils die Sommer- oder
Winterkleidung. Die raffinierte V-Form sorgte dafür, daß
man viele Kleidungsstücke auf relativ wenig Platz unterbringen
konnte.

Die beiden Dachgeschosse im Wohnhaus der Church-Familie in Hancock dienten der Aufbewahrung von Kleidung und Bettzeug. Das Foto zeigt den obersten Dachboden und die Treppe nach unten. Ein beliebtes Mittel der Shaker, um Tageslicht in ihre Speicher einzulassen, waren Dachflächenfenster und Oberlichter. Auf diese Weise wurde auch die Brandgefahr durch offenes Licht so klein wie möglich zu halten. In einem angrenzenden Raum gibt es ein spezielles System der Lichtführung. Ein Fenster im Dach und eines direkt darunter im Fußboden versorgte das darunterliegende Geschoß mit Tageslicht. Die schlichte Eleganz des Geländers und die gewölbte Decke in diesem seltener benützten Raum offenbaren eine Grundhaltung der Shaker: Perfektion und Durchdachtheit auch im entlegensten Winkel eines Hauses.

1875 wurde das ursprüngliche Dach von 1839 des Ministry-
Hauses in Sabbathday Lake umgebaut, weil es in der feuchten
und kalten Jahreszeit „durchlässig wie ein Sieb" war. Der
Älteste Otis Sawyer berichtete, daß „die Plage damit ein Ende
hatte und durch das neue, zweifach abgeschrägte Dach zusätz-
licher Platz für die Schwestern geschaffen wurde." Die 24
großen Einbauschubkästen und die Einbauschränke darüber
dienten der Aufbewahrung ganz unterschiedlicher Dinge. Die
graue Farbe ist noch original.

Der Dachboden des Wohnhauses der Church-Familie in Canterbury ist eines der besten Beispiele für den bei den Shakern so
beliebten Einbau von Schränken und Schubladen. Es gibt zwei
große Räume unter den beiden Dachneigungen, mit sechs
Dachkammern, 14 Einbauschränken und 101 Schubladen. Alle
sind liebevoll aus naturbelassenem Kiefernholz hergestellt und
zweckmäßigerweise durchnumeriert. Der Speicher diente
hauptsächlich zur Aufbewahrung von Kleidung und Bettzeug.

Der Lagerraum der Church-Familie in Enfield ist ebenso
eindrucksvoll. In dem Gebäude, ebenfalls 1837 erbaut, gibt es
860 Einbauschubladen.

Diese Einbaufächer mit 48 Schubladen wurden ursprünglich
für eine Werkstatt in Hancock angefertigt. Überreste von
Papieretiketten deuten darauf hin, daß sie möglicherweise
für die Lagerung von Kräutern benutzt wurden. Die Schubladen
werden nach oben kleiner, ein typisches Gestaltungsmerkmal
der Shaker. So verband man angenehme Proportionen mit der
praktischen Nutzung. Die größeren Schubladen sind im unteren
Bereich angeordnet, so daß schwerere Dinge keine Gefahr
darstellen. Obwohl die Einbaufächer so einfach wie möglich
gehalten sind, wirkt die Variation der Schubladengröße und die
Betonung der etwas dunkleren Ziehknöpfe sehr lebendig und
reizvoll.

90

Die Shaker waren nicht die ersten, die Einbauschränke verwendeten, aber sie nutzten die Vorteile dieser Lagermöglichkeit
in vollem Umfang in ihren Wohnhäusern und Werkstätten.
Die eingebauten Möbel im Wohnhaus der Church-Familie von
Hancock sind die schönsten noch existierenden Exemplare. Der
Älteste William Deming (1779 – 1849), der Architekt, konnte
seinen Stolz über die gelungene handwerkliche Arbeit nicht
verbergen:

> „Kaum ein Astloch ist zu sehen, außer auf den Fußböden;
> das Kiefernholz hat einen warmen Goldton und ist sehr
> schön verarbeitet. Insgesamt gibt es 100 Innen- und Außen-
> türen, 245 Schranktüren, 369 Schubladen, die in den Ecken
> der Räume und an den Seiten von Kaminen eingebaut
> wurden. ... Ich denke, wir dürfen sagen, daß es von oben bis
> unten vollendet ausgeführt wurde. Die Innenseiten sind mit
> einem freundlichen, warmen Orangeton gebeizt.“

Die Zimmermannsarbeiten wurden von zwei besonders begab-
ten Brüdern ausgeführt. Aus den Überlieferungen geht hervor,
daß Bruder Comstock Betts (1762 – 1845) alle Türen und Ältesten-
Assistent Grove Wright (1789 – 1861) und Bruder Thomas
Damon (1819 – 1880) wahrscheinlich die Schubfächer gemacht
haben. Die Schubfächer mit ihrer Front aus Walnußholz sind
wiederum in ihrer Höhe unterschiedlich; die größeren Schubladen für schwerere Sachen befinden sich unten. Das sieht
schön aus und ist praktisch. Ein Vorteil dieser Einbaumöbel war
die Sauberkeit, da sich nirgendwo Staub ansammeln konnte.

92

Vorhergehende Doppelseite:
Dieses Brüder-Schlafzimmer der Church-Familie in Hancock
sieht fast so aus wie die übrigen 19 Räume der Familie.
Die „Believer" teilten sich die Zimmer zu viert oder zu fünf.
Die Zimmer waren aus Gründen der Einfachheit und Ordnung
sparsam möbliert. Auf dem Foto sieht man die typischen
Möbel: außen links einen Einbauschrank mit Schubladen für
die Aufbewahrung von Kleidung und persönlichen Dingen.
Dann eine Wäschetruhe mit einer Schublade und ein enges
Einzelbett. Die Betten stehen auf Rollen, damit man sie zum
Putzen leichter wegschieben kann. Der gußeiserne Holzofen,
der wirksamer heizte als ein offener Kamin, gehörte ebenfalls
zur typischen Innenausstattung der Shaker.

Die kleinen nützlichen Gegenstände von links nach rechts: ein
Staubmop, eine Holzkiste mit geschwungenem Handgriff
(ein Behälter für Kehricht), ein runder Spucknapf aus Ahorn-
und Kiefernholz, den man brauchte, als man noch rauchen
durfte, ein rechteckiges Brett an der Hakenleiste, ein Stück
Speckstein unter dem Ofen, um die kalten Bettlaken anzu-
wärmen, und ein schmaler Fleckenteppich, der zum Putzen
leicht entfernt werden konnte. Das Wandtuch ist einer Abbildung aus dem 19. Jahrhundert nachempfunden, die ein Shaker-
Zimmer mit an der Wand hängendem Stoff zeigt. Möglicherweise war dies eine Art Wandisolierung gegen Zugluft, ähnlich
den Gobelins im Mittelalter. Andere typische Möbelstücke, die
hier nicht abgebildet sind, waren z.B. ein Stuhl pro Bewohner,
Waschtisch, Spiegel, Besen und Bürsten zum Saubermachen.

Die Ausbildung war ein wichtiger Bestandteil des Lebens der
Kinder, die bei den Shakern aufwuchsen. Bereits zu Anfang des
19. Jahrhunderts hatten die Shaker Schulhäuser, in denen junge
Brüder die Buben im Winter, die Mädchen im Sommer unter-
richteten. Shaker-Schulen hatten einen ausgezeichneten Ruf.

Die Shaker in Canterbury waren im Unterricht ihrer jüngsten
Mitglieder sehr fortschrittlich. Das erste Schulhaus wurde 1823
gebaut und 1863 durch das Hinzufügen eines neuen Stockwerks
erweitert. Um die Umbauarbeiten zu erleichtern, hoben die
Brüder das ganze ursprüngliche Haus an und fügten das
Erdgeschoß als neues Stockwerk ein. So ersparten sie sich den
Bau eines neuen Daches. Die Schule in Canterbury blieb bis
1934 in Funktion.

Die Fenster im Speiseraum der Church-Familie in Hancock
lassen von Osten, Süden und Westen das Tageslicht in den
geräumigen Saal ein. Die Ältesten, die mit dem Einbau beauftragt waren, berichteten voll Freude, daß außen und innen
insgesamt 95 24teilige Sprossenfenster eingebaut wurden. Die
Fenster waren mit einem raffinierten Mechanismus ausge-
rüstet: Die Schiebefenster wurden von einer auf beiden Seiten
angebrachten Holzleiste offengehalten. Die Holzleiste wurde
mit je drei Flügelschrauben aus Holz am Rahmen festgemacht.
Indem man die Schrauben lockerte, konnte man das untere
Schiebefenster bis zur gewünschten Höhe hochschieben. Durch
Anziehen der Schrauben wurde das Fenster festgehalten. Die
Flügelschrauben und Leisten konnten gemeinsam entfernt
werden, um das obere und untere Fenster hereinholen zu
können. Gerade beim Reinigen oder Reparieren in den oberen
Geschossen war das eine große Hilfe.

Die Shaker numerierten der Ordnung halber ihre Zimmer und
Lagerräume. Dieses Wandregal in der Wäscherei in Canterbury
ist dafür ein gutes Beispiel. Körbe in verschiedenen Formen
und Größen wurden dazu verwendet, Wäsche und Kleidung
zum Waschen und Bügeln in die Wäscherei zu bringen. Die
Körbe trugen manchmal die Initialen eines Mitglieds, um die
Wäsche, die auch mit den Initialen markiert war, leichter
sortieren zu können.

Vorangehende Doppelseite:

Während eine Zweierbeziehung zwischen Mann und Frau bei
den Shakern verboten war, wurden jedoch Freundschaften
zwischen Schwestern und Brüdern als natürlich und wünschens-
wert betrachtet. Zu diesem Zweck führte Vater Joseph
Meacham (1742–1796), der maßgebliche Leiter der Shaker-
Sekte nach Mutter Anns Tod, 1793 den „Hausabend" ein, der
dreimal pro Woche stattfand. Wie man aus den Aufzeichnungen
eines Bruders von 1850 weiß, brachten etwa sechs bis zehn
Schwestern ihre Stühle auf ein Zimmer der Brüder, um miteinander zu plaudern. Die Anstandsregeln erforderten einen
Abstand von etwa zwei Metern zwischen den Geschlechtern.
Die Treffen dauerten insgesamt eine Stunde. Während
dieser Treffen wurde oft auch 20 Minuten gesungen, wenn es
gewünscht wurde. Die passende Zusammenstellung der
Teilnehmer erfolgte durch die Ältesten nach einem Rotations-
system, so daß sich keine Cliquen bilden und keine Lieb-
schaften entstehen konnten.

So wurden die Stühle zum Hausabend aufgestellt. Die Stühle
haben von Gemeinde zu Gemeinde gewisse Unterscheidungs-
merkmale, aber sehen sich dennoch ziemlich ähnlich. Die
Wanduhr an der Hakenleiste ist eine von sechs Wanduhren,
gefertigt von Isaac N. Youngs (1793–1865) aus New Lebanon.
Jede Uhr ist auf das Jahr 1840 datiert, obwohl diese Uhr erst
sieben Jahre später fertiggestellt wurde. Sie war für eine
Scheune bestimmt – ein Umstand, der Isaac schwer zu denken
gab, war er doch im Geist der Einfachheit erzogen worden.
„Das ist ja etwas ganz Neues, daß man jetzt auch in Scheunen
Uhren braucht", schrieb er schließlich. Isaac signierte seine
Uhren bescheiden auf der Rückseite, ganz im Gegensatz zu
manchem „weltlichen" Uhrmacher.

Viele Beispiele von Shaker-Möbeln weisen auf den getrennten
Gebrauch durch Männer und Frauen hin. Dieser doppelte
Sekretär wurde um 1840 in New Lebanon angefertigt, wahr-
scheinlich für die Ältesten oder die Verwalter. Kleine handge-
schriebene Papieretiketten über den Fächern geben ihre
Bestimmung an: Briefe, Zitate, religiöse Schriften und anderes.
In geschlossenem Zustand hat der Sekretär eine fast glatte
Vorderfront – um das Saubermachen zu erleichtern. Das
Kiefernholz hat noch immer seinen ursprünglichen gold-orange-
farbenen Ton.

102

Schwester Aida Elam (1882–1962) aus Canterbury läßt sich um
1915 beim Waschtag von einem kleinen Mädchen helfen. Die
Shaker nahmen über die Jahre tausende von Kindern auf und
sorgten für sie. Es entwickelten sich auch sehr starke Beziehungen. Gegen Ende des 19. Jahrhunderts drängten jedoch
junge Leute, die bei den Shakern aufgewachsen waren, immer
stärker auf ein Leben außerhalb der Shaker-Gemeinden.

104

Diese Gruppe aus Canterbury stellte sich um 1880 dem Fotografen. Die beiden Mädchen links tragen keine Shaker-
Kleidung. Der Älteste Henry Blim (1824–1905), ein sehr
geachtetes Mitglied der Gemeinde, sitzt auf einem großen
Granitblock, der den Rasen zum Weg hin abstützte. Im Hintergrund links sieht man das Ministry-Haus (1848), in dem der
Älteste Henry verschiedene Arbeiten verrichtete, einschließlich
als Zahnarzt. Rechts steht das Versammlungshaus von 1792,
das zu diesem Zeitpunkt fast 100 Jahre alt war.

Vorangehende Doppelseite:

Im Leben wie auch im Tod strebten die Shaker nach Gleichheit und Einfachheit. Auf ihren ersten Friedhöfen gab es lediglich schlichte Holz- oder Steinschilder. Wegen ihrer Unbeständigkeit und der Kosten, die sie damit verursachten, ordnete die Gemeinde von New Lebanon 1873 den Austausch der alten Schilder gegen einheitliche gußeiserne an. Diese wurden tatsächlich aber nur für ein paar Gemeinden angefertigt. Der Friedhof in Harvard ist der einzige Ort, an dem die Schilder ihren ursprünglichen Platz behielten.

Auch hier findet sich das Streben nach Schlichtheit. So bezeichneten die Schilder nicht die Gräber oder Urnen, es waren keine Engel oder Totenköpfe darauf abgebildet, und es gab auch keine Blumen am Grab, wie das in der „Welt" üblich ist. Der Name des „Believers", sein Sterbejahr und sein Alter wurden als ausreichend angesehen. Viele Shaker wurden sehr alt, was alle möglichen Vermutungen darüber entstehen ließ.

Neben der Armut mußten die Shaker in Hancock unter dem schweren Verlust vieler Mitglieder leiden, die 1813 während einer Fieberepidemie verstorben waren. Hezekiah Osborn Jr. (1768–1813), der im Alter von 45 Jahren starb, war selbst Steinmetz. Später fügten Believer seinen Namen in den alten Stein, der anfangs nur seine Initialen, sein Alter und das Todesjahr trug. In späterer Zeit ersetzten die Shaker von Hancock die persönlichen Grabsteine durch ein einzelnes, großes Denkmal, auf dem nur der Name „Shakers" stand.

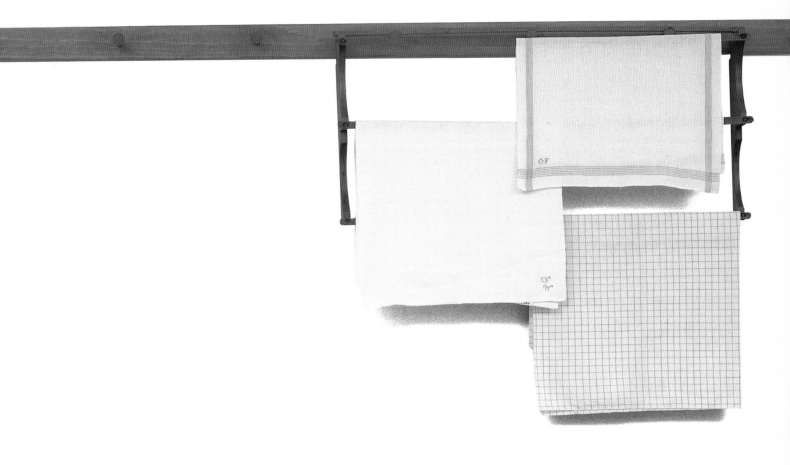

DIE SHAKER
UND IHRE ARBEIT

VON ANFANG AN war die Arbeit ein wesentlicher Bestandteil des Shaker-Lebens. Mutter Ann und ihre englischen, aus der Arbeiterschaft stammenden Anhänger hatten neben ihren Berufen keine weitere Einkommensquelle. Als junge Frau hatte Ann in einer Spinnerei gearbeitet. Ihr Bruder William war, wie ihr Vater, Hufschmied. Ihr Anhänger James Whittaker war Weber. Nach ihrer Ankunft in Amerika bat Mutter Ann ihre Zuhörer immer wieder sehr eindringlich: „Arbeitet mit euren Händen, gebt Gott euer Herz, und er wird euch segnen."

Die ersten „Believer" brachten alle möglichen Fähigkeiten und Berufe in die neu gegründeten Gemeinden ein. Josiah Tallcott Jr. aus Hancock war ein Drucker; Micajah Tucker aus Canterbury war Holzarbeiter und Steinhauer; Thankful Goodrich aus New Lebanon war gelernte Näherin. Mit der Zeit gab es bei den Shakern in den verschiedenen Gemeinden eine bemerkenswerte Anzahl von Berufen: Blechschmied, Hufschmied, Spinner, Weber, Färber, Möbelschreiner, Melker, Obstbauer, Imker, Steinmetz, Zimmermann, Zahnarzt, Allgemeinarzt, Lehrer, Korbmacher, Metzger, Gärtner. Das meiste, was zum Leben gebraucht wurde, stellten sie selbst her und darüber hinaus noch eine große Menge von hochwertigen Waren für den Verkauf.

„Shaker-made" war gleichbedeutend mit ausgezeichneter Qualität. Der Humorist Artemus Ward machte sich über den Lebensstil der Shaker lustig, aber hielt große Stücke auf ihr Apfelmus: „Wenn jemand bei euch Apfelmus kauft, dann findet er nicht ein Stückchen Schale darin – ich muß zugeben, bei meinen neuenglischen Vorfahren war dies gang und gäbe." Selbst Charles Dickens, der kein gutes Haar an den Shakern ließ, mußte zugeben, daß ihre Arbeit außergewöhnlich gut war. „Sie sind gute Bauern", bekannte er, „ihre Produkte sind in den Läden heiß begehrt." „Shaker-Sämereien", „Shaker-Kräuter" und „Shaker-Branntwein" wurden in den Läden der Städte zum Verkauf angeboten.

Aufgrund ihrer ungewöhnlichen Verbindung von Wohngemeinschaft und Zölibat hatten die Shaker ein anderes Verhältnis zur Arbeit als ihre Nachbarn. Sie hatten weit mehr Arbeitskräfte zur Verfügung und konnten somit mehrere Unternehmungen bewältigen. Ihre Farmen wurden schließlich viel größer als die ursprünglichen amerikanischen Anwesen; sie lieferten jeder Shaker-Gemeinde auch Steine, Holz, Lehm und manchmal sogar Eisenerz. Der wichtigste Unterschied aber war, daß die Shaker weder im Konkurrenzkampf standen, noch aus persönlichem Profit arbeiteten. Da der erwirtschaftete Gewinn dem Eigentum der gesamten Gemeinde zufloß, bekam niemand einen persönlichen Lohn für eine besondere Anstrengung. Ihr Lohn war ein anderer – es war die Zufriedenheit, sich selbst zuliebe eine Arbeit gut erledigt zu haben. Trotz des Fehlens eines finanziellen Anreizes waren die Shaker außerordentlich produktiv. Vater Joseph Meacham faßte die Philosophie der Arbeit folgendermaßen zusammen: „Von jedem das, was er kann, für jeden das, was er braucht." Weil finanzielle Angelegenheiten von cleveren Geschäftsleuten im Verwaltungsbüro der Familie geregelt wurden, konnten sich die Handwerker ganz ihrer Arbeit widmen, ohne sich um wirtschaftliches Überleben Sorgen machen zu müssen. In aller Ruhe und in stetem Streben nach bester Qualität folgten die Shaker dem Rat von Mutter Ann. Sie sollten arbeiten, als ob sie tausend Jahre lebten, und so, als ob sie am nächsten Tag sterben müßten.

Die vielen Arbeitskräfte und die vielen Arbeiten, die erledigt werden mußten, machten ein Organisationssystem notwendig. Obwohl es Überlegungen für eine Berufsausübung nach individuellen Vorlieben gab, wurde von den Shakern erwartet, daß sie das taten, was zum Wohl der Familie beitrug. Die Ältesten bestimmten die Tätigkeiten und nahmen auch Stellenwechsel vor. Die Diakone und Diakonissen waren befugt, aufgrund eines Arbeitsplans kurzzeitige Änderungen festzulegen, wie z. B. während der Heuernte. Ein Bruder, der hauptsächlich als Zimmermann arbeitete, wurde möglicherweise den Bauern als Hilfe zur Seite gestellt. Manchmal lagen jedoch auch bestimmte Arbeiten und die Führung der Gemeinde in einer Hand. Die Ministry in New Lebanon hatte z. B. traditionell das Korbmachen unter sich. Dies war sehr sinnvoll, denn all die Ausrüstung, der Materialvorrat und das handwerkliche Wissen waren schon lange dort.

Obwohl die Shaker in ihrem Streben nach Perfektion eine meister-
hafte Ausführung sehr schätzten, war jedoch auch der vielseitige
Einsatz wichtig. „Wenn du deine Fähigkeiten verbesserst, gibt dir
Gott noch mehr." Die meisten „Believer" waren auf zwei Gebieten
ausgebildet, konnten aber in mehr als einem Dutzend Tätigkeiten
gute Arbeit leisten. Während seines Lebens in New Lebanon hatte
Giles Avery Häuser repariert, als Steinmetz, Klempner, Zimmermann, Gipser, Lehrer, Schreiner, Wagner, Kerzenzieher, Obstbauer,
Landwirt und als Autor von Liedern und Zeitungsartikeln gearbeitet; schließlich wurde er noch Ältester. Manchmal waren angeordnete Stellenwechsel sehr willkommen. 1852 rief Bruder Henry De
Witt aus New Lebanon jubelnd: „Heute morgen habe ich den Klang
der Freiheit gehört! Freiheit von der Last der Stiefel und Schuhe,
nachdem ich 26 Jahre in diesem Beruf gearbeitet habe." Isaac
Youngs aus derselben Gemeinde, der von Kindesbeinen an Uhren
herumgebastelt hatte, arbeitete als Schneider, wie man ihm gesagt
hatte. Erst als er 21 Jahre alt wurde, durfte er – zu seiner größten
Freude – mit einem älteren Uhrmacher zusammenarbeiten.
Manche Arbeiten wurden auch nach dem Rotationsprinzip gewech-
selt; Schwestern hatten z.B. einen vierwöchigen Küchendienst und
machten danach wieder etwas anderes.

Die Shaker waren ihren Zeitgenossen weit voraus, wenn sie
meinten, daß Frauen und Männer in ihrer Fähigkeit und Verant-
wortlichkeit gleich waren. Brüder und Schwestern waren gleichberechtigte Partner in der Leitung einer Gemeinde, eine für das
19. Jahrhundert völlig unübliche und fortschrittliche Praxis. Als ein
Besucher davon hörte, fragte er sofort: „Angenommen, eine Frau
aus eurer Familie wollte Hufschmied werden, wäret ihr einverstanden?" Die Antwort war ein klares Nein, denn es brächte
Schwestern und Brüder in eine Beziehung, die den zölibatären
Shakern nicht recht sein konnte. Schwestern und Brüder waren in
getrennten Werkstätten beschäftigt und waren nicht befugt, sich in
der Werkstatt des anderen Geschlechts ohne Erlaubnis des Gemein-
devorstands länger als 15 Minuten aufzuhalten. Die „Believer"
waren der Meinung, daß die traditionelle Aufteilung der Geschlech-
ter bei der Arbeit durchaus auch für eine zölibatäre Gemeinschaft

geeignet war. Schwestern waren für den Haushalt zuständig –
Saubermachen, Kochen und textile Arbeiten. Brüder waren für die
Landwirtschaft und für traditionell männliche Berufe verantwort-
lich. Wenn es die Umstände erforderten, halfen sich Brüder und
Schwestern bei der Arbeit. 1837 schrieb ein Bruder dankbar:
„Die Schwestern waren so freundlich und haben die Rüben heraus-
gezogen und das Laub abgeschnitten. Ich bin ihnen sehr dankbar."
Er hatte auch allen Grund dazu, denn die Schwestern hatten
500 Scheffel Rüben geerntet, die als Futtermittel für Vieh angebaut
wurden.

Die Shaker empfanden ihre Arbeit von Jahreszeit zu Jahreszeit
abwechslungsreich. Jeder Monat brachte andere Aufgaben mit sich.
Wenn der natürliche Ablauf in der Landwirtschaft es erforderlich
machte, daß mit Hochdruck gearbeitet werden mußte – etwa um
das Heu vor dem Regen noch einzufahren oder die Kürbisse vor
dem ersten Frost abzuernten –, war es eine willkommene Abwechs-
lung, zu einer solchen Arbeit gerufen zu werden.

Im Frühling machten die Schwestern den traditionellen Frühjahrs-
putz. Sie gaben Holzgegenständen einen neuen Anstrich oder eine
neue Beize, sie weißten die Wände neu und säuberten die Ein-
gangsbereiche von Holzspänen und anderem Schmutz. Im Sommer
waren die Schwestern mit den großen Gemüsegärten beschäftigt.
Sie pflückten und verarbeiteten die verschiedenen Kräuter und
Gemüse, wenn sie reif geworden waren. Sie legten auch einen
Wintervorrat an Eingemachtem an – Beerenmarmelade, eingelegte
Gurken; sie trockneten Bohnen oder anderes Obst und Gemüse.
Im Herbst bestand die wichtigste Aufgabe darin, die Äpfel zu
ernten und Most zu machen, Äpfel zu trocknen und das Apfelmus
für den Winter zuzubereiten. Das Schlachten fand im frühen
Winter statt, wenn die Temperaturen es ermöglichten, Rind- und
Schweinefleisch kühl genug zu lagern, ohne daß es verdarb. Dann
stellten die Schwestern Pökelfleisch und getrocknetes Fleisch her
und füllten Würste.

Auch die Textilherstellung wurde von den Jahreszeiten bestimmt. Im späten Frühjahr oder im Frühsommer begann die Schafschur durch die Brüder. Dann verarbeiteten die Schwestern die Rohwolle zu feiner, handgesponnener Wolle. Zuerst wurde das Vlies gewaschen, die Wolle verlesen, gekämmt, gesponnen und anschließend gefärbt. Um Leinen herstellen zu können, wurde im Frühjahr Flachs ausgesät. Im Sommer wurden die Pflanzen mit den Wurzeln (um ja keine der kostbaren Fasern im Innern zu verlieren) ausgerissen. Später wurde der rohe Flachs dann gekämmt, zu einem feinen Leinenfaden versponnen und gebleicht, um Hemden, Handtücher und Bettlaken daraus zu machen. Ausgeschiedene kurze Fasern, das Werg, wurden ebenfalls gekämmt und zu grobem Garn für Arbeitskleidung und Kornsäcke versponnen.

Zusätzlich zu ihren jahreszeitlich bedingten Aufgaben waren die Schwestern das ganze Jahr über regelmäßig wiederkehrende Arbeiten verantwortlich, wie z. B. das tägliche Säubern des Wohnhauses, Kochen und Servieren, Geschirr spülen und Flicken. Einzelne Schwestern übten auch erlernte Berufe aus, wie z. B. Lehrerin, Weberin, Kinderschwester. Sie machten auch Nadelkissen, Käsetücher und Kräutermedizin.

Die Arbeit der Brüder wurde ebenfalls von den Jahreszeiten bestimmt. Im Frühjahr mußten die Männer die Jauche ausfahren, pflügen und das Getreide säen. Im Sommer war besonders viel zu tun. Die Heuernte mußte eingebracht und viele Wagenladungen von frisch gemähtem Gras zur Scheune gefahren werden. Im Herbst halfen die Brüder den Schwestern bei der Ernte. Im Winter standen das Dreschen des Korns und Schlagen, Sägen, Spalten und Aufstapeln des Brennholzes auf dem Programm. Allein in New Lebanon wurden 300 Klafter Brennholz benötigt, um Kräuter für die Herstellung von pharmazeutischen Produkten zu trocknen.

Obwohl fast alle Shaker-Brüder einige Zeit des Jahres in der Landwirtschaft arbeiten mußten, waren viele von ihnen in einem Beruf ausgebildet. Die „Mechaniker" – wie die ausgebildeten Handwerker auch hießen – mußten Häuser und Scheunen und auch Straßen bauen, Steinmauern anlegen und Zäune ausbessern. Sie hoben Gräben für Drainagerohre aus und stellten nützliche Gegenstände aus Eisen, Blech und Holz sowohl für den Eigenbedarf als auch für den Verkauf her. Die „Mechaniker" legten großen Erfindungsgeist und Ideenreichtum an den Tag, wenn es darum ging, die Arbeit zu erleichtern oder angenehmer zu gestalten. Sie griffen „weltliche" Techniken auf und verbesserten sie oft. „Wir haben ein Recht darauf, die Erfindungen der Menschheit zu verbessern", hatte Vater Joseph Meacham einmal gesagt, „aber nicht, unseren Erfolg zu mißbrauchen". Dies führte aber dazu, daß in den Gemeinden zwischen den Bauern und den Handwerkern gewisse Unterschiede gemacht wurden. Ein junger Bruder aus Enfield/New Hampshire schrieb, daß das Wort „Bauern" im Shaker-Gebrauch „eine Bezeichnung war ... wie anderswo das Wort ‚Flegel'". Die Landwirtschaft betreibenden Brüder, meist junge, leidenschaftliche und kräftige Burschen, hatten durch die Art ihrer Arbeit aber weit mehr Freiheiten als andere Mitglieder. Sie konnten öfters aus den Dörfern hinausgehen und waren oft über die normalen Arbeitszeiten hinaus beschäftigt.

Heute ist vieles von dem, was Shaker geschaffen haben, verlorengegangen. Aus den Äckern, die die Brüder fleißig gepflügt hatten, sind wieder Wälder geworden; lediglich die Steinmauern, die damals die Felder begrenzt hatten und heute durch jene Wälder verlaufen, erinnern an ihren ehemaligen Zweck. Die Hemden und Laken, die die Schwestern genäht haben, sind schon lange zu Lumpen geworden. Was bleibt von der Arbeit der Shaker, und was kann ihren Sinn und Wert beweisen?
Viele Produkte der Shaker sind von schlichter Schönheit. Sie entstand aus elementaren Überlegungen: durchdachte Proportionen; elegante Formen und heitere und helle Farbgebung. Die Scheunen, die Holzdosen, sogar die beschwingte Melodie des Shaker-Liedes „The Gift to Be Simple" – alle lassen sie das Talent ihrer Hersteller erkennen. Arbeit und Andacht wurden bei Shakern nicht getrennt. Die Älteste Bertha Lindsay aus Canterbury drückt dies klar aus: „Man muß sich zum Beten nicht hinknien, auch durch Arbeit kann man ein Gebet sprechen."

Diese steinerne Rampe wurde Anfang des 20. Jahrhunderts von
der Süd-Familie aus Harvard in die Fruitland-Museen gebracht.
In jeder Shaker-Gemeinde gab es Steinhauer und Steinmetze,
die Fundamente legten und Stufen und Zaunpfosten versetzten.
Diese schöne Rampe ermöglichte einen bequemen und sicheren
Ein- und Ausstieg in Wagen und Kutschen.

Ein Steinhauer aus Pleasant Hill stellt aus Kalkstein ein Auffangbecken her. Es ist eine genaue Nachbildung eines Originals
der Shaker. Die Auffangbecken sammelten Regenwasser aus
den Fallrohren und leiteten es von den Fundamenten ab. Die
kunstvolle Ausarbeitung eines so gewöhnlichen Gegenstandes
war typisch für die Arbeit der Shaker.

Schwarze waren in den Shaker-Gemeinden gleichberechtigte
Mitglieder. In Kentucky waren sie zahlreicher als im Norden.
Es gab sowohl schwarze Shaker in New York und Neuengland,
wie auch eine kleine Familie von schwarzen Schwestern in
Philadelphia. Die Shaker kämpften aus erklärtem Pazifismus
weder im Bürgerkrieg, noch unterstützten sie die Sklaverei.

116

In verschiedenen Gemeinden stellten die Shaker selbst Ziegel
her. Auf der Abbildung, die in Pleasant Hill entstanden ist, sieht
man den ursprünglichen Mörtel, der noch die Einkerbungen
des Maurers trägt. Obwohl die Shaker meistens Holzhäuser
bauten, bevorzugten sie Stein und Ziegel als Baumaterial, wenn
sie es sich leisten konnten.

rechts:

Das restaurierte Wohnhaus der Center-Familie in Pleasant Hill
wurde aus einheimischem Kalkstein, der auch zu Mörtel verarbeitet wurde, erbaut. Die Maurer haben bei der Renovierung
die nach außen abgeschrägte Mörtelschicht originalgetreu nach-
gearbeitet. Der nach außen gerichtete Winkel hält Regenwasser
ab und bildet einen Schutz für das Mauerwerk.

Diese Detailaufnahme einer Shaker-Werkbank zeigt, welche
Sorgfalt der unbekannte Erbauer für einen Gebrauchsgegen-
stand in einer Möbelwerkstatt aufgewendet hat. Auch die Werkzeuge der Shaker lassen dieselbe Sorgfalt erkennen. Sie zeigen
die Achtung vor einer ehrbaren Arbeit, die allen Shakern eigen
war. Auf dieser Werkbank aus New Lebanon haben die Shaker-
Brüder alle Arten von Holzgegenständen – Fenster und Türen,
Betten und Stühle, Dosen und Eimer – hergestellt.

Die blaue Farbe an Möbeln ist ungewöhnlich; normalerweise
wurde das Blau der Innenausstattung eines Versammlungshauses vorbehalten. Die Werkbank wurde aus verschiedenen
Holzarten gemacht: Kiefer-, Ahorn-, Eichen- und Kastanienholz.
Die abgerundete Form ohne Anstrich ist eine verschiebbare
Hebevorrichtung aus dem Holz eines Obstbaums. Man klemmte
das eine Ende eines Brettes in den Schraubstock, der links an
der Werkbank angebracht war (auf dem Foto nicht zu sehen),
das andere Ende des Brettes wurde von der Hebevorrichtung
hochgehalten.

Ein Möbelschreiner hobelt die Kante eines Brettes mit dem traditionellen Werkzeug und nach den Methoden der Shaker-Handwerker. „Von uns die Arbeit, von Gott der Segen", empfahl Mutter Ann ihren Anhängern. Brüder, die zum Shaker-Glauben übergetreten waren, brachten ihre Berufe mit ein, die sie in der „Welt" erlernt hatten – Zimmermann, Arzt, Blechschmied, Steinhauer, Landwirt, Drucker, Schneider und eine Menge anderer Berufe. Jungen, die bei den Shakern aufwuchsen, gingen bei ältern Brüdern in die Lehre, um ein Handwerk zu erlernen.

Eine Möbelschreinerei mit ein paar alten Maschinen erinnert
an die Holzwerkstätten der Shaker um die Jahrhundertwende.
In dieser Werkstatt in Canterbury arbeitet ein Handwerker,
der als Teil seiner Arbeit originalgetreue Nachbildungen von
Shaker-Möbeln herstellt. Bei den Shakern war es üblich, daß
Schreiner und Tischler sehr vielseitig waren. Im Winter, wenn
die Arbeit in der Landwirtschaft und im Wald fast ruhte,
konnten sie sich voll auf die Herstellung der Möbel konzen-
trieren.

Eine wunderschöne Werkbank zeigt die Genauigkeit und Sorgfalt, mit der die Shaker etwas hergestellt haben. Ein paar auf-
fällige Details zeichnen diese besondere Werkbank aus: Ihre
Platte aus Eichenholz ist 2,50 m lang. Die Werkbank wurde
für einen Linkshänder konzipiert – deshalb befindet sich der
Schraubstock aus Vogelahorn auf der linken und nicht, wie
üblich, auf der rechten Seite. Die Schublade oben rechts hat
eine Platte aus Kiefernholz und wurde vermutlich als Schreib-
oder Zeichenfläche benützt – ein Hocker wird neben der Werkbank aufgestellt, und schon hat man einen provisorischen
„Tisch". Ein weiteres ungewöhnliches und eigenartiges Kon-
struktionsmerkmal findet sich in den Schubladen – die Seiten-
bretter werden von oben nach unten in ihren Wandstärken
immer dicker (auf dem Foto nicht sichtbar). Aufgrund dieser
Tatsache läßt sich die Werkbank in die Reihe der Möbel
einordnen, von denen man weiß, daß sie in der Mitte des
19. Jahrhunderts in Hancock oder Enfield entstanden sind.

123

Die Werkstätten der Shaker waren im allgemeinen reichlich mit
Werkzeug ausgestattet, wie dieses Sortiment von Holzhobeln in
einem Werkzeugschrank beweist. Die „Believer" wurden dazu
angehalten, Ausrüstung und Arbeitsmittel zu teilen. „Niemand
darf Werkzeuge nehmen, die in den Bereich anderer gehören,
ohne eine Erlaubnis dafür erhalten zu haben; und auch nur
dann, wenn sich jemand findet, der dafür die Verantwortung
übernimmt", stand in den „Tausendjährigen Gesetzen" von 1841
geschrieben.

„Schafft für alle eure Dinge einen bestimmten Platz, damit
ihr sie zu jeder Zeit, Tag und Nacht, wiederfindet", riet Mutter
Ann ihren Anhängern. Die Ordnung war ein unverzichtbarer
Bestandteil in einer Gemeinde, weil die Sachen gemeinsam
benutzt wurden und niemandes Privateigentum waren. Dieser
flache Wandschrank in der Werkstatt der Brüder besteht aus
Kiefernholz und ist teilweise gelb gebeizt. Er beinhaltet ein
Sortiment von Ahlen, die man zur Bearbeitung von Leder und
beim Schuhmacher brauchte.

124

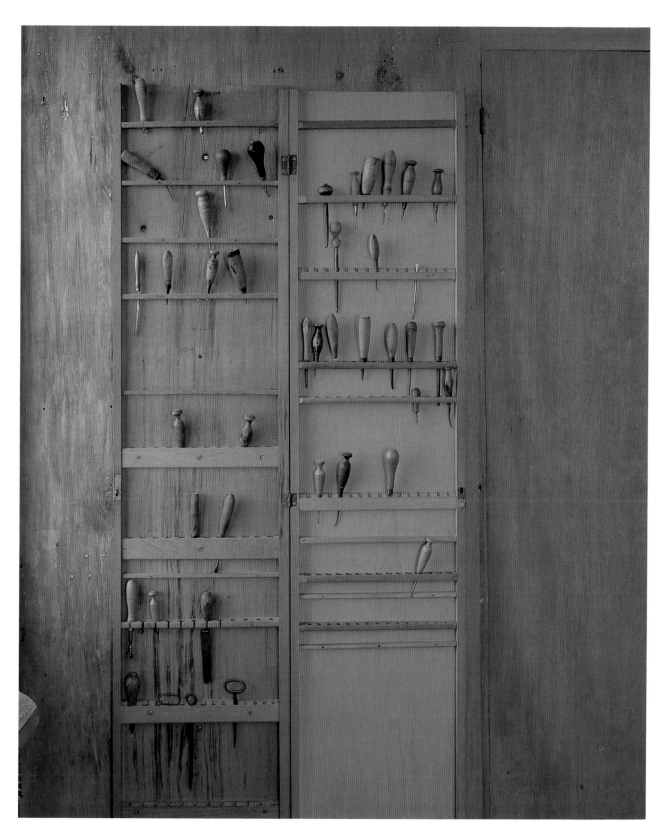

Ein Korbmacher bereitet Staken aus Esche vor, indem er sie –
nach der traditionellen Technik – auf einer speziellen Werkbank
mit einer Ziehklinge auf die erforderliche Stärke bringt.
Die Shaker von New Lebanon, die sehr schöne Körbe für den
Eigenbedarf und für den Verkauf herstellten, entwickelten
spezielle Apparaturen, die eine schnellere Arbeit ermöglichten,
ohne daß die Qualität darunter zu leiden hatte. 1873 bewunderte ein Bruder, der aus New Hampshire zu Besuch kam, den
Erfindungsgeist des Ältesten Daniel Boler (1804–1892), der eine
Hobelmaschine für Holzstreifen entwickelt hatte. „Die Holzstreifen passieren die Maschine auf einer Reihe von Walzen und
kommen hinten ganz glatt wieder heraus", so beschrieb er es.

Der Korbmacher befestigt am Korb einen Bügel. Diese Art von
Handgriff und der einzelne blaue Felchtfaden in der Nähe des
Randes sind die einzigen Änderungen, die ein moderner Handwerker am traditionellen Stil der Shaker vorgenommen hat.
In neuem Zustand wirkten die Körbe der Shaker farblos, wie
derjenige auf dem Foto; mit der Zeit bekamen sie jedoch eine
volle, goldbraune Tönung.

126

Die Shaker benützten Eichen- und Eschenstaken und Weiden-
ruten zur Herstellung ihrer verschiedenen Körbe für Haus-
gebrauch und Verkauf. Praktische Details, die sie nur dann
verbesserten, wenn es notwendig war, waren bei den Shakern
sehr beliebt – wie z. B. dieser eingekerbte Handgriff. Die
Einkerbung greift um den Rand und verhindert, daß der Griff
herausrutscht, wenn der Korb einmal schwer beladen wird.

Dieser grazile Korb, eines der prächtigsten Stücke aus der Korbmacherei der Shaker, hat einen Deckel, der am Handgriff entlangleitet, aber nicht abgenommen werden kann. Diese Art von Korb wurde „Federnkorb" genannt, weil die Federn einer gerupften Gans durch den schützenden Deckel nicht herausgeweht werden konnten. Hauptteil und Deckel des Korbes wurden über einer hölzernen Form geflochten, um diese Außenform zu erhalten. Das Köpermuster auf dem Deckel erforderte eine spezielle Technik.

Der Korb verdeutlicht eine Grundregel der Shaker für die Gestaltung: Mache nichts, was nicht nützlich ist; wenn etwas notwendig und nützlich ist, dann zögere nicht, es schön zu machen, solange die dekorativen Elemente Teil der Gestaltung sind und die Funktion nicht stören.

Diese praktische, wundervolle Holzdose ist ein Symbol der gesamten Shaker-Arbeit. In den einzelnen Gemeinden stellten die Shaker eine große Anzahl von verschieden großen Holzdosen für Haushalt und Gebrauch in der Werkstatt her. Man konnte alles, außer Flüssigkeit, darin aufbewahren. Die besondere fingerförmige Verzahnung der Seitenteile war keine Erfindung der Shaker, sondern der „weltlichen" Tradition entnommen, aber verbessert. Die Zwischenräume zwischen den Fingern erlaubten dem Ahornholz, sich je nach Temperatur und Luftfeuchtigkeit auszudehnen oder zu schwinden, ohne sich zu verwerfen, wie dies bei einer gerade geschnittenen Kante der Fall gewesen wäre. Diese Holzdose stammt wahrscheinlich von dem Ältesten Daniel Crosman (1810–1885), einem meisterhaften Dosenhersteller aus New Lebanon.

„Kleinigkeiten machen Perfektion aus, aber Perfektion ist keine
Kleinigkeit", sagten die Shaker. Die Seite einer ovalen Dose verdeutlicht die Aufmerksamkeit, die sie einem Detail geschenkt
haben: hier die abgerundeten Finger der Verbindung, die
genaue Anordnung der Kupfernägel (die im Unterschied zu
Eisen nicht rosten und das Holz nicht verfärben), die schöne
Form und der Drehzapfen des Haltebügels.

Die Vergrößerung der Seitenansicht einer ovalen Dose zeigt die
sich in gleichem Abstand wiederholenden Formen der Finger
oder „Schwalbenschwänze", wie sie auch genannt wurden, und
die präzise Anordnung der Kupfernägel.

134

Delmer Wilson (1873–1961) war der letzte Älteste und Holz-
dosenmacher von Sabbathday Lake. Dieser vielseitige Shaker-
Bruder arbeitete abwechslungsweise als Künstler, Fotograf, im
Obstanbau, als Bauarbeiter, Friseur, Zahnarzt, Imker und Holz-
handwerker. Das Foto, auf dem der Älteste Delmer neben einer
Hobelmaschine abgebildet ist, wurde 1915 in seiner Werkstatt
im Haus der Jungen aufgenommen, als er 42 Jahre alt war. Seit
1896 war er mit der Herstellung von ovalen Holzdosen betraut.
Er setzte damit eine 100 Jahre alte Tradition der Shaker fort.
Hölzerne Schöpflöffel oder Meßbecher waren andere nützliche
Produkte. Sie wurden für das Messen trockener Substanzen
benützt, wie z. B. Korn und Mehl, bis zu Mengen von 1 Liter.
Die Schöpfbecher auf dem Foto sind auf einer Tragevorrichtung
fertig zum Transport aufgestapelt. Wie die Holzdosen wurden
die Schöpfkellen aus einem dünnen Streifen Ahornholz hergestellt, das unter Dampf oder eingeweicht biegsam gemacht
wurde. Die schönen Handgriffe wurden mit Nieten befestigt.

136

Typische Beispiele aus Holz: ein Schrank, ovale Holzdosen und ein Eimer. Ein Merkmal der Shaker-Möbel ist ihre Schmucklosigkeit, aber Formen und Farben geben den Möbeln ihren Reiz. Die „Believer" mochten in ihren Räumen leuchtende, klare Farben, ganz im Gegensatz zu dem, was Außenstehende angenommen hätten. Gegenstände wie diese wurden aus einheimischem Holz hergestellt – Kiefernholz für den Schrank und den Eimer, Ahorn und Kiefer für die Dosen. Die Shaker liebten auch schlichte Ziehknöpfe aus Holz oder weißem Porzellan, nicht die dekorativen Messingbeschläge, wie sie in der „Welt" in Mode waren.

Diese Schaufel aus New Lebanon wurde aus einem einzigen Stück Walnußholz geschnitzt. Die Form orientierte sich noch an traditionellen amerikanischen Formen, war jedoch merklich feiner gearbeitet und eleganter proportioniert als herkömmliche Schaufeln. Da metallene Schaufeln bei der Arbeit gerne Funken sprühten, benützte man in den Kornspeichern im allgemeinen Schaufeln aus Holz. Die beschädigte Kante an dieser Schaufel wurde mit einem Stück Blech ausgebessert.

Ein ungewöhnlich großer Besen, der wahrscheinlich in einer Gemeinde in New York entstanden ist, wurde vielleicht speziell zum Kehren einer großen Eingangshalle oder eines Versammlungsraumes angefertigt.

Der „Runde Stall" aus Stein in Hancock ist wohl das bemerkenswerteste Beispiel des Einfallsreichtums und der hervorragenden Qualität der Arbeit der Shaker. Obwohl die Idee eines runden Stalls nicht von den Shakern stammte, setzte der Älteste Daniel Goodrich (1765–1835) sie in einem der größten Beispiele in Amerika in die Tat um. Der Stall, der einen Umfang von 82 m hat, wurde 1826 erbaut und beherbergte mehr als 50 Stück Vieh. Jedes der drei Stockwerke ist von außen durch Rampen erreichbar. Das oberste Stockwerk war für Heufuhrwerke gedacht, die, während sie einmal im Kreis fuhren, entladen wurden, indem man das Heu in die Mitte des Stalls hinabwarf. Anschließend konnten sie wieder hinausfahren, ohne rückwärts rangieren zu müssen. Bis zu zehn Wagen konnten gleichzeitig das Heu einfahren.

142

Im zweiten Stock war das Vieh untergebracht. Die Boxen lagen
entlang der Außenwand der Scheune. Von einem Gang zwischen
dem Vieh und dem Heu in der Mitte konnten die Brüder die
Herde leicht füttern. (Ein Besucher kam zu dem Schluß, daß
die berühmte Produktivität der Shaker-Kühe ihren Grund
in dem Anblick all des schmackhaften Heus hätte.) Das Erdgeschoß war die Dunggrube. Falltüren hinter den Boxen
erleichterten die Mistbeseitigung. Er wurde im Frühjahr als
Düngung auf die Felder gebracht.

Der Stall in Hancock war als einziger rund, doch andere, im
herkömmlichen Stil gebaute Ställe waren nicht weniger
eindrucksvoll. Die Shaker in Canterbury hatten einen groß-
artigen, 61 m langen Stall, mit Balken aus Kastanienholz.
Die fünfstöckige Scheune in New Lebanon hatte eine Ausdehnung von 60 m Länge und 15 m Breite.

Der 1858 erbaute Kuhstall von Canterbury war ein Glanzlicht des ganzen Dorfes. Er hatte eine Länge von 61 m mit zwei Auffahrtrampen von je 7,50 m; insgesamt also 76 m Länge. Wahrscheinlich war er sogar der größte Stall in New Hampshire. Die Holzkonstruktion wurde aus Kastanienholz erstellt. Die Abbildung zeigt die Boxen im Erdgeschoß, wo eine große Rinderherde untergebracht war. 1973 wurde der Stall tragischerweise durch ein Großfeuer zerstört.

Der Innenraum des „Runden Stalles" zeigt den Platz für das Heu und einen zentralen Schacht, in dem eine Gebläsevorrichtung angebracht war, die das Heu belüftete, es trockenhielt und das Risiko der Selbstentzündung verminderte. Trotz all der Vorsorgemaßnahmen fing der Stall dennoch Feuer und wurde 1864, 38 Jahre nach der ersten Erbauung, wieder neu errichtet.

Dieses Foto entstand um die Jahrhundertwende in Canterbury
in der Nähe des Wohnhauses der Zweiten Familie. Es zeigt
eine Heuwendemaschine im Einsatz. Die Landwirtschaft war
von Anfang an der größte Erwerbszweig der Shaker. Die
Farmen waren angesehene, vorbildliche Betriebe für gute Landwirtschaft und hohe Produktivität. Sogar Kritiker der Shaker
schwärmten vom „gepflegten Vieh auf den Hügeln, den schönen
Ställen und Nebengebäuden, ihren soliden Mauern und den
kultivierten Gärten und Feldern".

Die Heusaison beanspruchte die Brüder mehrere Sommer-
wochen lang. Zuerst mußte das Gras gemäht und lange genug
getrocknet werden. Man durfte es nur bei trockenem Wetter
einfahren, sonst bestand die Gefahr eines Heustockbrandes.
1836 beschreibt Giles Avery von New Lebanon den Abschluß der
Heusaison. Die Schwestern brachten zur Feier des Tages eine
Kostprobe eines „ausgezeichneten Getränks, das mit Zucker
gesüßt und mit Zitronensaft gespritzt wurde. . . . Es gab auch
eine Menge Cracker und anderes Gebäck." Der Beschreibung
zufolge saßen die Brüder im Kreis um die Leckerbissen herum,
obwohl sie keinen großen Hunger mehr hatten, denn die
Schwestern waren schon zweimal an diesem Tag zu einem
derartigen Besuch gekommen. Um der Gicht vorzubeugen,
sprangen die Brüder danach mit großem Vergnügen in einen
nahegelegenen Bach.

Diese Mädchen arbeiten um 1915 im Garten hinter der Ministry und dem Versammlungshaus von Canterbury. Zusätzlich zum Besuch der Schule und zum Spielen mußten die Kinder auch ziemlich viele Arbeiten erledigen. Die Älteste Bertha Lindsay, die noch in Canterbury lebt, war als zehnjähriges Mädchen Anfang des Jahrhunderts damit beauftragt, Pasteten für mehr als 100 Mitglieder zu backen.

Eine Schäferin führt im Shaker-Dorf Hancock eine Schafherde
an. Viele Shaker-Gemeinden züchteten Tausende von Schafen,
darunter auch die Merino-Schafe, die die beste Rohwolle
liefern. Die Shaker in Sabbathday Lake haben noch heute eine
kleine Herde und verkaufen die Wolle.

Folgende Doppelseite:
Die Shaker benutzten im allgemeinen Ochsen als Zugtiere zum
Pflügen. Ochsen sind kräftiger und ruhiger als Pferde. Sobald
im Frühjahr der Boden auftaute und man die Jauche ausfahren
mußte, wurden alle Brüder zur Arbeit in der Landwirtschaft
benötigt. Danach kehrten sie wieder als Möbeltischler, Böttcher
usw. in ihre Werkstätten zurück.

Die flachen Kehrbesen aus der Besenwerkstatt in Pleasant Hill
wurden nach den originalen Shaker-Besen gearbeitet.

Der wohlbekannte flache Besen gilt als ein Wahrzeichen des
Erfindungsgeistes und der Kreativität der Shaker. Der Überlieferung zufolge wurden die ersten flachen Besen von einem
Bruder in Watervliet als Verbesserung der damals verwendeten
runden Strohbündel hergestellt; die breite Unterkante des
Besens war effizienter. Viele Shaker-Gemeinden gingen dazu
über, Besen und Bürsten in großen Stückzahlen zu produzieren.

Ein guter Besen sollte von alleine stehen können, bevor und
nachdem man das Stroh in die richtige Form gebracht hat.
Auf den Blöcken im Hintergrund lagern die Besenstiele. So
mancher Shaker-Bruder mußte dafür lange an der Drechselbank stehen. Orren Haskins (1815–1892), ein besonders
begabter Holzhandwerker in New Lebanon, wurde 1836
erwähnt.

152

Diese schönen Reproduktionen von Shaker-Schaukelstühlen,
die vom Möbeltischler in Hancock hergestellt werden, erinnern
daran, daß Shaker oft Gegenstände in Serie hergestellt haben –
mehrere Dutzend Sprossenstühle für ein neues Wohnhaus
beispielsweise oder ein paar Waschtische oder vier kleine
Kästchen mit Schubladen. Solche Produktionsmethoden waren
nicht nur effizient, sondern garantierten auch die absolute
Gleichheit – auf die die Shaker in ihrer Lebensgemeinschaft
sehr viel Wert gelegt haben.

Gleichzeitig stellten Shaker aber auch individuelle Möbelstücke
für verschiedene Körpergrößen her. Ein Schaukelstuhl, der auf
den ersten Blick aussah wie jeder andere auch, war vielleicht
eine extrem große oder besonders kleine Ausführung. Ähnlich
war es auch mit der Kleidung. Shaker-Brüder stellten normalerweise im Winter Möbel her, wenn die Arbeit auf dem Feld
ruhte. Daß ihre Möbel solche Anmut besitzen, zeugt von ihrer
Verpflichtung zu Perfektion bei jeder Art von Arbeit.

Diese Stühle stehen auf einer Werkbank aus New Lebanon – einem der schönsten Exemplare, das es noch gibt. Die Arbeitsfläche hat drei Bereiche mit jeweils unterschiedlichen Holzarten. Der erste Bereich besteht aus geleimtem Ahorn- oder Birkenholz; der mittlere aus harter, widerstandsfähiger Eiche oder Kastanie und der dritte Bereich aus einem Kiefernbrett, das weicher ist als die beiden Harthölzer.

Allen Shaker-Stühlen gemeinsam ist ihr geringes Eigengewicht und ihre Stabilität. Dieses frühe Beispiel von 1820, wahrscheinlich aus New Lebanon, ist eine funktionelle, schlichte Version eines amerikanischen Schaukelstuhles ohne Schnitzereien und dekorative Bemalungen. Der Hersteller war interessiert an stimmigen Proportionen und einem guten Aussehen – man beachte, wie die Sprossen der Rückenlehne nach oben hin höher werden. Die feinen Unterschiede lassen den Stuhl in den Augen des Betrachters ausgewogen erscheinen. Solche Gestaltungsmerkmale sind typisch für die Arbeiten der Shaker – sie sind mehr als nur nützliche Details, aber stören die Funktion nicht. Dieser ungewöhnlich kleine Stuhl war wahrscheinlich eine Spezialanfertigung für eine Shaker-Schwester. Konservative Shaker betrachteten Schaukelstühle als Luxus, aber den meisten gefiel die beruhigende und entspannende Bewegung.

Die Großaufnahme zeigt die Sitzfläche eines Schaukelstuhles aus gewebten Bändern, eine originalgetreue Reproduktion der Sitzflächen, wie sie die Shaker von 1830 an hergestellt und benutzt haben: farbenfroh, bequem, dauerhaft und leichter anzubringen als Sitzflächen aus Rohr, Schilf oder Holzstaken. Solche geflochtenen Sitze galten als Erfindung der Shaker. Die gebräuchlichsten Muster waren einfache Karos oder Fischgrätmuster.

Vorderer Stuhlfuß und Armlehne zeigen, wie ein Shaker-Stuhl mit Armlehnen im 19. Jahrhundert konstruiert wurde. Der vordere Stuhlpfosten wurde aus einem einzigen Stück Holz gedrechselt – der abgeflachte Knauf ist nicht angeleimt! Durch diese Methode erhielt man stabile Stuhlpfosten, die so schnell nicht kaputtgingen.

157

Eine Vielzahl von bunten Bändern zur Sitzflächenherstellung
zeigt den Wandel der Zeit. Die frühesten Bänder, ganz links,
wurden von Shaker-Schwestern aus selbstgefärbten Garnen von
Hand gewebt, die früheste Produktion reicht nach den Überlieferungen ins Jahr 1820 zurück, als die Schwestern noch Hunderte
von Metern Garn pro Jahr gesponnen haben. Die Bänder rechts
sind von 1860, als die Shaker dazu übergegangen waren, Baum-
wollbänder in Köperbindung zu kaufen, anstatt sie selbst herzu-
stellen. „Damals hatten wir mehr Webstühle als heute", so erinnert sich traurig ein Ältester im Jahre 1875, „aber Stoffe werden
so billig angeboten, daß wir immer mehr Stoff kaufen. Es ist
ein Fehler; aber wir kaufen günstiger ein, als wir produzieren
können; unser handgewebter Stoff jedoch ist viel besser als die
gekaufte Ware. Nun müssen wir drei Hosen in derselben Zeit
herstellen, in der wir zuvor nur eine gemacht haben."

Die Shaker statteten von 1820 an ihre Stühle mit bequemen Sitzflächen aus bunten gewebten Bändern aus. Auf der Abbildung ist ein einfacher Webstuhl für Bänder zu sehen. Die Rückenlehne eines Stuhles hält die Kettfäden straff. Die Schußfäden werden nun um die Kettfäden gewebt, so daß ein langes Band entsteht.

160

Ein Sprossenstuhl verkörpert das Verhältnis der Shaker zum Leben und zum Besitz. Gerade durch seine geradlinige und schmucklose Form werden sein Komfort und seine Behaglichkeit besonders hervorgehoben. Die Sitzfläche wurde aus gewebten Bändern geflochten. Holz- oder Weidengeflecht ist nicht so bequem. Der Stuhl ist leicht nach hinten geneigt, um ein entspanntes Sitzen zu ermöglichen. Der Stuhl wiegt nicht viel, so daß er während des Putzens an der Hakenleiste aufgehängt werden kann.

Die beiden hinteren Stuhlpfosten haben ein besonderes Merkmal: Ein hölzernes Kugelgelenk sorgt dafür, daß die hinteren Stuhlbeine flach auf dem Boden aufsetzen, auch wenn der Daraufsitzende sich hinten anlehnt. Die neigbaren Füßchen werden von einem Lederriemen in Position gehalten, der einerseits das Füßchen, andererseits das Stuhlbein ein paar Zentimeter oberhalb faßt. Ab 1830 wurde diese Art der Ausführung allgemein üblich. Trotz der Ermahnungen der „Tausendjährigen Gesetze", sich nicht an der Lehne eines Stuhles anzulehnen oder die Stühle an Wände, Betten oder Möbel anzulehnen, hatte sich dennoch die Bequemlichkeit durchgesetzt, und die praktisch denkenden Shaker haben ihre Stühle ihren Bedürfnissen angepaßt.

Stühle, wie dieser, wurden zu Tausenden von „Believern" in jeder Gemeinde hergestellt. Dieser hier stammt aus New Lebanon aus dem Jahr 1840.

Die Abbildung zeigt charakteristische Shaker-Möbel: Einbauschubladen und Einbauschränke aus honigfarbenem Walnuß- und Kiefernholz, ein Kerzentischchen aus Kirschbaum und einen Schaukelstuhl aus Ahorn. Diese Möbel wurden um 1840 in New Lebanon hergestellt und stehen heute im Wohnhaus der Church-Familie in Hancock. Die Gestaltung der Shaker-Möbel beruhte auf einem um 1800 in Amerika beliebten Stil. Shaker-Möbel waren einfach und funktionell und leicht zu transportieren. Gerade in einer Wohngemeinschaft war das eine wichtige Eigenschaft, da alle Möbelstücke Gemeingut waren und deswegen wahrscheinlich oft hin- und hertransportiert wurden.

Die Knäufe am oberen Ende der Stuhlpfosten waren nicht nur schön anzusehen, sondern hatten auch die Funktion von Handgriffen beim Aufnehmen und Bewegen der Stühle. Die Knaufformen sind oft ein Identifizierungsmerkmal für die Herkunft eines Stuhles. Die Drechsler in den jeweiligen Dörfern entwickelten ihre jeweils eigenen Methoden an der Drechselbank. Diese spezielle Form ist typisch für eine Arbeit aus New Lebanon um die Mitte des 19. Jahrhunderts.

Die feinen Einkerbungen rings um den Stuhlpfosten waren Markierungslinien für die ausgestemmten Löcher, in die eine Sprosse eingesetzt werden sollte. Solche Markierungslinien findet man sehr häufig an Stuhlbeinen der Shaker. Sie waren aber auch sonst verbreitet.

Ein Merkmal der Shaker-Möbel ist ihre grazile Form. Die Beine dieses Tischchens mit herunterklappbarer Tischplatte sind sehr schlank; auch die Seitenteile des Schreibpultes sind ungewöhnlich dünn. Stuhlbeine und Lehne des Drehstuhles sind nicht übermäßig stark dimensioniert. Trotz der Zartheit sind die Stücke überraschenderweise sehr stabil. Außerdem wurden sie von den Shakern mit großer Sorgfalt behandelt. Shaker sahen in ihrem Besitz nicht ein persönliches Eigentum, mit dem man hätte machen können, was man wollte, sondern ein Eigentum der Gemeinschaft, das mit zukünftigen Generationen geteilt werden mußte.

Die drei Stücke wurden in New Lebanon hergestellt: Der Klapptisch trägt einen Stempel von 1847. Solche Tische wurden von konservativen Shakern eher als Luxus denn als Notwendigkeit angesehen, denn sie waren der Auffassung, daß zum Schreiben eine rechteckige, ebene Fläche ausreichend sei. Drehstühle und Drehhocker wurden um 1860 für den Eigenbedarf und für den Verkauf hergestellt. Ein Bruder, der aus Ohio zu Besuch kam, bewunderte diesen „neuartigen Stuhl, der sich auf einem Gewindestab in jede Richtung dreht und den es in verschiedenen Größen und Formen gibt".

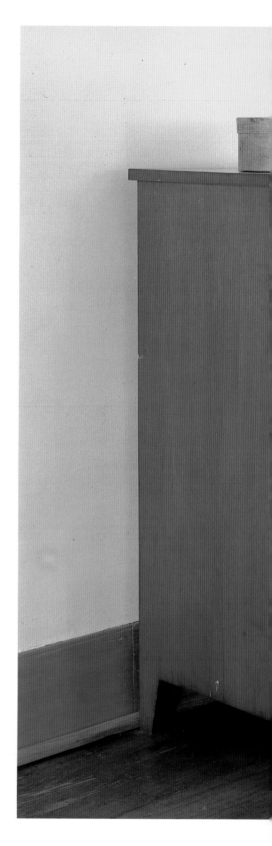

Ein Sekretär, der möglicherweise von einem Bruder in Harvard angefertigt wurde, ist wegen seiner „optischen Täuschung" sehr ungewöhnlich. Auf den ersten Blick sieht er aus wie eine Kommode, aber die Vorderseite der zweiten Schublade läßt sich zu einem Schreibpult herunterklappen. Die Konstruktion ist sehr eindrucksvoll. Die Schubladen wurden in der Schwalben-schwanzverbindung zusammengefügt. Die meisten Möbelbauer der Shaker vermieden alles, was einer Täuschung gleichkam. Auch Politur und Einfärben der Holzmaserung (beide Tech-niken lassen schlichtes Holz feiner und kostbarer aussehen) waren verpönt. Vielleicht war es ein Möbelstück wie dieses, das einen traditionsbewußten „Believer" dazu veranlaßt hat, sich bei einem Besuch in Harvard 1850 zu beklagen: „Die haben dort eine Ansammlung von Möbeln, die eher nach Babylon gehören!"

168

Dieser Schrank und der Schreibtisch sind Beispiele von
Möbeln, die den Shakern in Harvard zugeschrieben werden.
Der Schreibtisch ist die Variation eines Nähtisches. Von besonderem Interesse ist die Art und Weise, wie die Schubladen in
Vorder- und Seitenfront eingesetzt wurden. Diese Anordnung
findet sich auch bei den Nähtischen. Der Benutzer muß sich
nicht unter die Arbeitsfläche beugen, um etwas zu holen, sondern erreicht bequem die seitlichen Schubladen. Eine weitere
Besonderheit ist die zusätzliche Schreiblade: Vermutlich wurde
ein Nähtisch zum Schreibtisch umfunktioniert. Für einige
„Believer" – Älteste, Diakone und Diakonissen und Verwalter
war es obligatorisch, Geschäftstagebücher zu führen. Aber
auch andere Mitglieder führten Tagebuch über ihre Arbeit.
Sie gaben uns damit eine reichhaltige Quelle an Shaker-Doku-
menten.

170

Der Nähtisch oder der „Arbeitsplatz" war ein beliebtes Möbelstück unter den Shaker-Schwestern in den Jahren nach dem
Bürgerkrieg. Die Schubladen boten genügend Raum für kleine
Nähutensilien, und mit dem ausziehbaren Brett, das nur
wenig Platz einnahm, vergrößerte sich Arbeitsfläche durch nur
einen Handgriff. Diese beiden außergewöhnlich fein gearbei-
teten Nähtische sind auch insofern einmalig, als sie Rücken an
Rücken geplant worden sind.

Die Nähtische wurden um 1880 von dem in Alfred lebenden
Ältesten Henry Green (1844–1931) aus Birke, Eiche und Ahorn
angefertigt. Der paarweise Entwurf dieser Möbelstücke verdeut
licht die Art und Weise, wie die Shaker gearbeitet haben: in
freundlicher Atmosphäre und in Gemeinschaft mit Kollegen.

172

Shaker-Brüder bauten oft Nähtische für die speziellen Erfordernisse der Schwestern. Diese Nähkommode wurde offensichtlich für Adeline Patterson (1884–1968) gebaut, deren Name mit Kreide auf der Unterseite der ausziehbaren Arbeitsfläche vermerkt wurde. Dieser Tisch ist identisch mit einem anderen, der in Privatbesitz ist. Die Möbel der Shaker wurden oft in mehrfacher Ausfertigung hergestellt.

Dieses ungewöhnlich hohe Tischchen aus South Union/
Kentucky war möglicherweise ein Lesepult. Eine Tinten-
inschrift auf der Unterseite gibt an, daß es sich hier um ein
„Pult für den Versammlungsraum" handelt. Es lehnt sich in
seiner Form an Beispiele aus New Lebanon und anderer
Gemeinden im Osten an. Es hat jedoch eine vergleichsweise
überschwengliche Formensprache, vermutlich aufgrund der
Entfernung von über 1000 Meilen zur Urgemeinde in New
Lebanon.

175

Schrank und Besen sind das Symbol für die Ordnungsliebe und
Sauberkeit der Shaker. Der Schrank wird den Shakern in
Harvard zugeschrieben und stammt vermutlich aus dem späten
18. oder dem frühen 19. Jahrhundert. Diese Art von leicht
erhabenen Türfüllungen war zu dieser Zeit in Amerika üblich.
Sie sind auch an frühen Shaker-Möbeln zu finden. Besucher,
die in die Shaker-Dörfer kommen, sind immer wieder beein-
druckt von der außergewöhnlichen Sauberkeit.

Auch die Körperpflege war sehr wichtig. „Es verstößt gegen die
Vorschrift, daß Schlamper in der Church-Familie leben oder
daß die Brüder und Schwestern auch nur zur Arbeit schäbige
Kleidung tragen", ermahnten die „Tausendjährigen Gesetze"
von 1821. Wahrscheinlich gab es in jedem Schlafraum ein Waschbecken oder in Einzelfällen einen gemeinsamen Waschraum auf
der jeweiligen Etage, natürlich nach Geschlechtern getrennt.

Dieser Waschtisch aus Hancock besteht aus Walnuß- und
Kiefernholz und geflammtem Ahorn. Ein anderer Waschtisch,
der fast gleich aussieht, ist auf 1850 datiert. Die feine Ausführung der Kanten am Spritzschutz ist typisch für die Shaker:
Ein Gegenstand soll schön aussehen, aber keinen zusätzlichen
ornamentalen Schmuck haben. Dessen Herstellung wäre
außerdem zu arbeits- und zeitaufwendig. Über dem Waschtisch
an der Hakenleiste hängt ein Spiegel. Spiegel durften, den
Regeln entsprechend, nicht größer als 30 x 45 cm sein, damit
man nicht zu eitel wurde.

176

Im Büro der Church-Familie in Harvard sind einige der schönsten Einbaumöbel erhalten geblieben. Das Haus, das um 1840 erbaut wurde, hat etwa 40 Räume und Dutzende von Einbauschränken und -schubladen aus Kiefernholz.

Der stabile, mehr als 3,70 m lange Arbeitstisch hat so ideale Proportionen, daß er viel leichter erscheint, als er ist. Durch Rollen, wie sie auch an Betten angebracht waren, konnte man den Tisch leicht bewegen und ohne Mühe den Fußboden wischen. Räder und Rollen wurden an allen großen und schweren Möbelstücken angebracht.

Tisch und Einbaukommode zeigen, wie einfach die Räume der Shaker sauberzuhalten waren. „Im Himmel gibt es keinen Staub", war ein Leitspruch Mutter Anns.

Dieser kleine Tisch hat sonderbare Beine. Die bogenförmigen
Füße im rechten Winkel zur Tischachse sind nicht ungewöhnlich – ähnliche Fußteile gibt es an den bei Shakern so beliebten,
auf Böcken stehenden Eßtischen auch. Es ist der dritte, nach
außen zeigende Fuß, der so absonderlich aussieht. Die Konstruktion ist auch deshalb so merkwürdig, weil ein Verbindungs-
glied zwischen Böcken und Tischplatte fehlt.

Noch rätselhafter ist ein altes Foto, das den Tisch mit nach
innen zeigenden „Füßen" zeigt. Offensichtlich wurde der Tisch
irgendwann zerlegt und wieder zusammengebaut – vielleicht
von den Shakern selbst oder von einem späteren Eigentümer.
Auf dem Tisch steht eine Buchpresse.

Die Shaker haben ihre eigenen Schuhe und Stiefel hergestellt.
Für Straßenschuhe wurde festes Leder verwendet; Hausschuhe,
die zum sonntäglichen Gebet und zum Tanz auf dem weichen
Riemenboden im Versammlungshaus getragen wurden, waren
aus feinem Stoff. Die Schuhmacher der einzelnen Dörfer
stellten Schuhe in Spezialanfertigung her. Die Fülle von Leisten
beweist dies. (Auch orthopädische Probleme wurden gelöst.
Ein Leisten zeigt einen dicken Lederballen am großen Zeh, wo
wahrscheinlich ein „Believer" ein Überbein hatte.)

Die niedrige Werkbank, die um 1840 in New Lebanon hergestellt wurde, hat einen bequemen, ledergepolsterten Sitz.
Polsterarbeiten waren bei den Shaker-Möbeln äußerst selten.
Dennoch hatten manche Werkstattstühle und -hocker einen
strapazierfähigen Lederbezug.

Diese Nähutensilien aus Harvard zeigen ein Nadelkissen aus
Satin in der Form einer Tomate; Stofftaschen für Stricknadeln
und Faden; eine Holzform für „Erdbeeren", die mit Schmirgel
gefüllt waren und dazu dienten, Nadeln zu säubern und anzu-
spitzen; und verschiedene schlichte, handgewebte Stoffe. Um
die Jahrhundertwende wurde die Herstellung dieser kunst-
vollen Kleinigkeiten zu einem Haupterwerbszweig der Familien.
Das Wort „kunstvoll" ist etwas irreführend, es bezieht sich nur
auf die Qualität und nicht auf die dekorative Wirkung. Die
Shaker hätten niemals Dinge hergestellt, die für den alltäg-
lichen Gebrauch ungeeignet gewesen wären.

Zur Aufbewahrung der Nähutensilien einer Schwester gehörte
auch so ein sechseckiges geflochtenes Körbchen, die Miniatur-
ausgabe eines Käsekorbes, den man mit einem Käsetuch aus-
schlägt, so daß die Molke aus den Quarkstückchen abfließen
kann. Diese kleine Version, die im Gegensatz zu den Käsekörben
einen Deckel hat, wurde in der Werkstatt gebraucht. Der größere Korb mit den schön geschwungenen Handgriffen diente
der Aufbewahrung von Gegenständen, wie Scheren, Nadelkissen und anderen nützlichen Dingen. Die Garnrolle hat eine
typische Form. Durch das schmale Mittelstück kann die Spule
eine große Fadenmenge aufnehmen.

Die Shaker-Schwestern einiger Gemeinden stellten um die
Jahrhundertwende warme Wollumhänge für den Eigenbedarf
und Verkauf her. Die Umhänge wurden nach der Mode des
18. Jahrhunderts angefertigt und erfreuten sich bei „weltlichen"
Frauen größter Beliebtheit als Ausgehumhang für die Oper.
Die fröhlicheren Farben, wie Pink, Rot, Purpur, Hellblau und
Grün, waren für den Verkauf bestimmt. Kapuzen und Umhänge
wurden oft mit Satin gefüttert.

186

Eine Weberin arbeitet an einem Original-Webstuhl aus Pleasant Hill. Die spezielle Bindung, die sie für eine Tagesdecke verwendet, ist eine traditionelle Technik. Die roten Wollfäden werden so um die Kettfäden gelegt, daß ein doppelseitiges Muster entsteht. Dieses Muster war sicher für viele Shaker zu aufwendig, da man ja dazu angehalten war, einfache Decken und Überwürfe zu benützen. Die Shaker-Schwestern waren durch die Herstellung der Textilien sehr in Anspruch genommen. Sie reichte von der Herstellung des Fadens und des Stoffes über das Zuschneiden und Nähen der Kleidung bis zum Herstellen von Textilien für den Haushalt, wie z. B. Tagesdecken, Bettlaken, Handtücher, Bänder zum Flechten und Teppiche.

„Die Hände zur Arbeit, die Herzen bei Gott", sagte Mutter Ann. Die Shaker glaubten, daß Arbeit eine Form des Gebetes war. Auf dem unteren Foto wird das Kardieren von Wolle gezeigt. Das ist eine Art Kämmen, bei der die Fasern geradegezogen und für das Verspinnen vorbereitet werden. Zum Kämmen und Lockern der Rohwolle braucht man zwei hölzerne Kardätschen, die mit vielen Drahtborsten versehen sind. Die entstandenen Wollbäusche werden dann mit großen Spinnrädern zu Faden oder Garn versponnen. Die Shaker stellten aus der Wolle ihrer eigenen Schafe und aus Flachs (für Leinen) bis weit ins 19. Jahrhundert hinein ihre Kleidung selbst her. Sie machten es auch dann noch, als fabrikmäßig hergestellte Kleidung angeboten wurde.

188

Diese auf der Kommode angebrachte Vorrichtung ist ein Wollwickler, den die Shaker dazu benützten, einen Strang Wolle zu
einem Knäuel aufzuwickeln. Der Wollwickler war keine Erfindung der Shaker, aber die Shaker von Hancock verbesserten das
alte Modell und stellten es zu Tausenden her. Mit Flügelschrauben wird der Wollwickler an der Tischkante angebracht
und das zusammenschiebbare Gestänge in Arbeitsstellung
arrettiert. Während sich die Vorrichtung dreht, kann man aus
dem Faden, der freigegeben wird, einen Knäuel aufwickeln.
Danach kann der Wollwickler wie ein Schirm zusammenge-
klappt und aufgeräumt werden.

Zwei Garnspulgeräte, die wahrscheinlich aus Harvard stammen,
verdeutlichen das Interesse der Shaker an der Mechanisierung
und am technischen Fortschritt. Das war besonders dann so,
wenn die neue Methode die Arbeit gleich oder besser verrichtete
als die alte. Die Vorbilder für solche Spulgeräte kamen von
außerhalb. Man brauchte sie zum Abmessen und Aufwickeln
des Fadens oder Garns in Stränge.

190

Wie banal Shaker-Werkzeug und -Ausrüstung auch erscheinen mögen, sie waren immer mit der gleichen Sorgfalt gearbeitet, als seien es Möbel für das Wohnhaus. Das dreibeinige Spulgerät, das in Alfred hergestellt wurde, brauchte man zum Abmessen und Aufwickeln des Garns in Stränge. Der Doppelbügel war für zwei Kleidungsstücke gedacht, beispielsweise für den Umhang und das Oberhemd oder die Weste eines Bruders. Keiner der beiden Gegenstände war Erfindung der Shaker, aber sie sind sehr exakt gearbeitet. Die Geräte sind im oberen Stock des Versammlungshauses in Sabbathday Lake zu sehen. Im Hintergrund erkennt man die originale dunkelblaue Farbe, die nur in Versammlungshäusern verwendet wurde.

Auch die Spinnräder waren frei von unnötigem Zierrat an Standbeinen und Spindeln. Auf riesigen Rädern, wie diesem, wurde die Rohwolle zu Garn versponnen. Es gab Schwestern, die jahrelang nur mit Spinnen beschäftigt waren. Nachdem die Schafe geschoren waren, wurde das Vlies gewaschen und durch Kardieren zum Spinnen vorbereitet. Das Garn wurde entweder eingefärbt oder so, wie es war, verarbeitet.

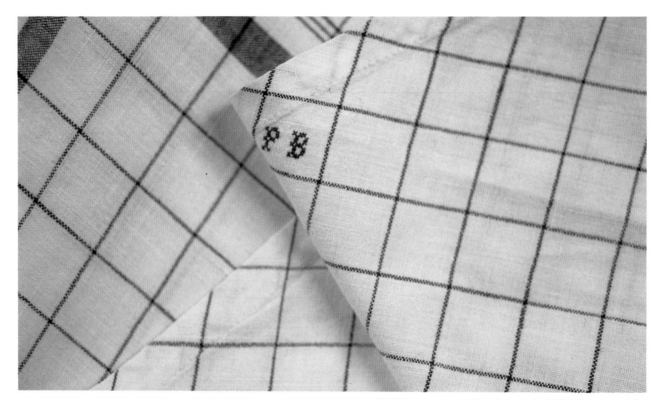

Es war üblich, daß Shaker-Schwestern Nummern und Initialen mit Kreuzstichen in Textilien stickten. Beim Sortieren der Wäsche einer großen Shaker-Familie war dies natürlich sehr sinnvoll. Die Textilien auf der Abbildung rechts sind: eine wollweiße Decke, ein Leinenhandtuch mit einer saugfähigen Bindung ähnlich der von Windeln und ein schwarz-weiß kariertes Geschirrtuch. „No 1" kann eine Zimmernummer oder die Nummer eines Sets von Decken sein; „67" ist wahrscheinlich eine Jahreszahl. Die „Tausendjährigen Gesetze" von 1845 besagten, „es wird als unnötig erachtet, mehr als zwei Ziffern für die Bezeichnung eines Datums, eines Kleidungsstücks oder Werkzeugs zu verwenden; und es ist streng verboten, irgendwelche Verzierungen hinzuzufügen". Die Initialen „PB" stehen für Peggie Bridges, eine Schwester aus South Union. Dort sind diese Textilien entstanden.

Die Kentucky-Shaker waren eine der ersten Seidenhersteller in den USA. 1832 hatten die Schwestern von South Union so viel Seide produziert, daß sie sich Halstücher herstellen konnten. Die Halstücher auf der Abbildung kommen ebenfalls aus South Union und zeigen die intensiven Farben, die die Schwestern bevorzugten. Der schimmernde Glanz der Seide wurde erreicht, indem man Kett- und Schußfäden in verschiedenen Farben verwendete: beispielsweise ergab Magentarot und Weiß ein Rosa. Das Weben von Seide erfordert viel Geduld, denn der Seidenfaden ist sehr dünn.

198

Shaker-Schwestern färbten handgesponnene Garne und Stoffe in dezenten, angehmen Farbtönen. Die Farben auf dem Foto entstanden auf der Basis von Pflanzenfarbstoffen und natürlichen Beizmitteln. Die Shaker verwendeten gern einen Walnußfarbstoff, mit dem man ein kräftiges, dunkles Braun erhielt, und Indigo für ein schönes Blau. Das Färben in den Gemeinden nahm mitunter große, fast industrielle Ausmaße an und erforderte viel Sachkenntnis. Einige Schwestern aus New Lebanon klagten 1849 über ihre Schwierigkeiten beim Färben:

„Betsy Crosman, Mary Ann Mantle und Amy Reed wollten blaue Wolle färben. Am 12. hatten sie begonnen und bald 105 Pfund oder mehr geschafft, als sie bemerkten, daß sie alles wieder auswaschen mußten. Maria sagte, sie hätten sich verschätzt und eine zu starke Farblösung angesetzt ... und ich denke, die Lösung war auch zu heiß. Verflixt, dieses Jahr geht alles schief!"

Die Wollstränge in der oberen Reihe von links nach rechts: ein ganzer Strang (500 m) Leicester-Wolle und Garne, die mit folgenden Mitteln gefärbt wurden: Berberitzensprossen und Kupfersulfat; Baumflechte und Alaun; Querzitron (Rindenextrakt) und Alaun; Roßkastanienblätter und Alaun. Untere Reihe, von links nach rechts: Hickory-Rinde und Eisensulfat; Koschenille, Blauholzspäne und Alaun; Krappwurzel; Roßkastanienblätter und Kupfersulfat.

1879, ein Jahr nachdem in Sabbathday Lake ein neues Wasser-
reservoir und ein Aquädukt gebaut worden waren, installierten
die Schwestern im Keller des Schwesternhauses eine nagelneue
Waschmaschine. Die Waschmaschine aus Speckstein wog zwei-
einhalb Tonnen. Zum Transport von Durham/Maine, wo sie
in Auftrag gegeben wurde, nach Sabbathday Lake waren vier
Pferde nötig. Eine verbesserte Waschmaschine für den Gebrauch
der Shaker in ihren Gemeinden und auch für Hotels und
andere größere Einrichtungen war eine der wenigen patentier-
ten Erfindungen der Shaker-Sekte. Sie wurde in Canterbury
konstruiert und in Serie gebaut.

202

Der Lastenaufzug in der Wäscherei von Canterbury war eine Annehmlichkeit. Im Aufzug steht ein Korb, der auch aus Canterbury stammt; die Buchstaben „SSX" besagen, daß er für Pullover verwendet wurde. Die Canterbury-Shaker hatten mit ihren handgestrickten „Shaker-made"-Pullovern großen Absatz, vor allem unter den College-Studenten von Neuengland zu Beginn des 20. Jahrhunderts.

205

Die Canterbury-Shaker installierten 1854 auch einen Dampf-
trockenraum in ihrer Wäscherei. Bis zu diesem Zeitpunkt hatte
man die gesamte Wäsche auf Wäscheleinen getrocknet. Der
Raum mit den ausfahrbaren Trocknungsstangen wurde 1862
und 1908 modernisiert. Seit 1908 wurde die Luft, die durch die
aufgehängte Wäsche und dann durch einen Abzug ins Freie
geführt wurde, von einem Gebläse beschleunigt. Das Trocknen
der Wäsche im Innenraum war von großem Vorteil für die
Shaker-Familien. Sie konnten so den Waschtag planen, ohne
vom Wetter abhängig zu sein.

Die Shaker-Schwestern waren für das Wäschewaschen für bis zu 100 Familienmitgliedern verantwortlich. Nicht selten mußte ein Bruder bei der schweren Arbeit helfen. Um die Arbeit zu beschleunigen, entwickelten die Shaker diesen Ofen, der Dutzende von Bügeleisen auf einmal aufheizen konnte. Der Ofen stammt ursprünglich aus einem Waschhaus in New Lebanon. Die „Believer", die diese Annehmlichkeit genießen durften, dachten sicher manchmal an Mutter Ann, die ihren Lebensunterhalt während der ersten beiden Jahre in den USA mit Waschen und Bügeln verdienen mußte.

209

Hölzerne Sockenformen wurden dazu benützt, Strickstrümpfe
während des Trocknens in Form zu halten. Die Canterbury-
Shaker begannen um 1850 damit, Strickstrümpfe für den Verkauf zu produzieren. Diese Formen hängen in der Wäscherei
noch am selben Platz.

210

Im Jahre 1849 druckte der Älteste von Union Villoage und South Union, Hervey L. Eades (1807–1892), ein großes illustriertes Handbuch über die Bekleidung der Shaker: „Die Arbeit des Schneiders". Es wird angenommen, daß er jeweils eine Ausgabe an alle Shaker-Gemeinden sandte, damit alle Shaker-Schneider davon Gebrauch machen konnten. Die Tafel zeigte den Schneidern, wie man Maß nimmt für Mäntel, Westen, Gehröcke und Hosen.

Die Einheitlichkeit in allen Belangen, auch in der Kleidung, war für die Shaker von großer Bedeutung. Während es im Bereich der Arbeitskleidung – je nach Art der ausgeführten Arbeit – noch Unterschiede gab, war das sonntägliche Gewand einheitlich, so daß alle Mitglieder desselben Geschlechts gleich aussahen. Die Kleidung der Brüder wurde im allgemeinen von ausgebildeten Schneidern hergestellt; das Stopfen war gewöhnlich Sache der Schwestern. Die „Tausendjährigen Gesetze" von 1845 warnten die Schwestern davor, „nicht die Kleidung von Brüdern zu stopfen oder Knöpfe anzunähen, während die Brüder sie auf dem Leib trugen". Die Anleitungen für den Schneider waren umfassend. Sie waren denen der „Welt" ähnlich. Die Grundlage für den guten Sitz eines Maßanzugs war ein genaues Maßnehmen des Körpers.

1924 hatte der Älteste Delmer Wilson und die anderen Shaker von Sabbathday Lake an einer Parade anläßlich des 150. Geburtstages von New Gloucester teilgenommen. Nach seinem Tagebuch haben die Shaker „Fähnchen an der Kirche angebracht und haben sich in der Nähe vom alten Blockhaus in den Zug eingereiht. Ich saß in einer großen Kutsche und trug den alten Shaker-Mantel, die Weste und den breitkrempigen Hut. Wir fuhren etwa zwei Stunden in der Parade mit, und keinem Festwagen wurde soviel Aufmerksamkeit und Applaus geschenkt wie unserem. Überall blitzten die Lichter der Fotografen." Eine dieser Aufnahmen zeigt den Ältesten Delmer in der traditionellen Shaker-Kleidung des letzten Jahrhunderts. Der schlichte Mantel, weitgeschnittene Hosen und der Hut mit der breiten Krempe waren beliebte modische Kleidungsstücke um 1800. In der Mitte des 19. Jahrhunderts war eine solche Kluft für einen Außenstehenden hoffnungslos veraltet, aber die Shaker sahen es als Zeitverschwendung an, den endlosen Wechsel der Mode mitzumachen.

MENSURATION.

DIRECTIONS FOR PLATE No. 1.

Rules of Measurement, for Coats, Vests, Frocks and Trowsers.

SURTOUT MEASURE, SEE FIG. 1.

Take your tape measure laid off in inches, ¼ths & ⅛ths.

1 Measure from 1 to 3 & 4 as length of coat.*

2 From 2 on back-seam, to the width of back, extend the measure to the elbow, and to the length of sleeve at hand; ☞ have the person to elevate his arm at right angles with the body, incline it a little forward and bend at elbow, sufficiently to determine the middle of elbow.

3 From 1 by front of scye on line A to 1.—This is called the Upper Shoulder Measure.

4 From 2 on back-seam over the shoulder, around by front of scye and back to 2.—This is called the Lower Shoulder Measure.

5 From 1 on line a a, round by front of scye, under the arm to back-seam.—This is called the Proof Measure.

6 From 1 on line a a, by front of scye, and down to waist at fig. 3.—This is called the Balance Measure.

7 Take lapelle measure from 1 over the shoulder or collar bone, extend it down to waist, hold it here with your right hand; with your left bring the upper end forward to collar point, as shown in fig. 2, for vest; then as low down as you wish your skirt to come.

8 Take the size around the breast and waist over the coat, and set down your measure thus: with the name of the customer underneath:

16½, 38—19, 32—(26, 25½)—22, 24—22, 7½, 37—45, 34.
        A. B.

* You will take all your measures over the kind of garment you are going to cut, except the frock, for which you measure over the vest; but in no case be governed by what the person has on, but be governed by your measure, which see to take correctly.

N.B. 1st. Select scales by the upper and lower shoulder measures, enclosed in parenthesis—always put the scale corresponding with the upper shoulder measure in the long arm of the Square, and that of the lower shoulder measure in the short arm. The scale of the upper shoulder measure, is to give the proportions up and down, or lengthwise of the garment; the other scale to give the proportions across the garment.

N.B. 2d. In order to find the right place for fig. 1, throw the tape across the person's neck, after turning up the collar—put your hands under his arms, taking hold of the ends of the tape, and draw it back and forth 2 or 3 inches—then dot with chalk under the edge of tape at fig. 1, for a starting point.

N.B. 3d. If the person's shoulders are not alike, or nearly so, you must measure both, and draft accordingly; and if you have difficulty in finding the centre of back at fig. 2, you will continue the measure round both shoulders, and set down half the measure, as shown on fig. 4; this is the surest plan to obtain the lower shoulder measure correctly, as it is sometimes difficult to find point 2.

JACKET, OR VEST MEASURE, SEE FIG. 2.

Let the person to be measured take off his coat—you then proceed to take the measure precisely as you do for coat, from 1 to 3 & 4 as length—you do not want sleeve measure.

Take the shoulder measures as for coat.

You take Lapelle Measure from 1 on line a, over the shoulder and down to fig. 5; hold the tape at fig. 5 with your right hand, and with your left carry the upper end forward to fig. 6, under the chin; then breast and waist measures, and set down your measure thus: with the name of the person measured underneath:

17, 24—(25, 24½)—21½, 24—22, 6½—36, 33.
        A. B.

TROWSERS MEASURE SEE FIG. 2.

Let the jacket be held back with the right hand, as the frock is; place the top of your measure, or fig. 1 of tape, on the top of hip bone, or as high as you wish the trowsers to extend. Let the person you are measuring, place the forefinger of his left hand on the top of the measure and hold it there, while you with the forefinger feel the crease of the muscle at the thigh bone joint, or "spring of seat;" note the distance as from 1 to 2, and the knee at 3, and bottom of ancle bone at 4. Now take the measure round the waist, hips, thigh, and knee; then set down the measure taken thus, with the person's name underneath:

11½, 24, 41½, (32, (37) 21) 14½.   A. B.

Now select scales by the waist and thigh measures, place the waist scale (32) in the long arm of the square, and the thigh scale (21) in the short arm, and you are ready for drafting.

FROCK MEASURE, SEE FIG. 2.

Let the person take off his frock or coat, but keep his vest on; you then commence at fig. 1, or socket bone of neck, and measure down to 44, as length; you then take the upper and lower shoulder measures and length of sleeve, and set down the measure thus:

40—(26½, 26½)—19, 33.   A. B.

You do not want proof, balance, breast, nor waist measures; proceed to draft as directed under Plate No. 10. You mark the right side of cloth on Frocks.

213

Dieses feine Leinenhemd eines Bruders aus der Mitte
des 19. Jahrhunderts stammt aus einer nicht näher
bekannten Gemeinde im Osten. Das auffallend lange
Hemd hat vielleicht als Unterkleid gedient. Vielleicht
war es auch ein Nachthemd. Die handwerkliche Arbeit,
angefangen beim handgesponnenen Leinenfaden,
über das Weben und Nähen des Stoffes, ist von bester
Qualität. Das Bild zeigt auch, wie gut die geraden Klei-
derbügel für die traditionellen Schnitte der Schneider
geeignet waren. Zu beachten sind die eingestickten
Initialen und die Nummer im unteren Teil des Hemdes.

Die Shaker züchteten Blumen nicht wegen ihrer Schönheit, sondern zur Verarbeitung zu Arzneien oder für kulinarische Zwecke.

„Die Rosenstöcke wurden entlang der Dorfstraßen gepflanzt, wo sie von den Vorbeigehenden bewundert wurden. Aber man hatte uns strengstens eingeschärft, daß eine Rose nur eine Nutz- und Zierpflanze sei. Man durfte keinen Gefallen an ihrer Farbe oder an ihrem Duft finden."

Schwester Marcia, die dies schrieb, fügte hinzu, daß die Rosenblüte gänzlich ohne Stiel gepflückt werden mußte, um nicht in Versuchung zu geraten, sie als Schmuck ans Kleid zu stecken.

Die Blütenblätter wurden gesammelt und zu Rosenwasser destilliert. Man verwendete Rosenwasser in Arzneien oder als Geschmacksstoff beim Kochen, vergleichbar mit dem heutigen Gebrauch von Vanille.

Gegen Ende des 19. und zu Beginn des 20. Jahrhunderts lockerten die Shaker ihre strengen Gesetze hinsichtlich ihrer Ziergärten und kultivierten wunderschöne Blumenbeete.

Die kleine, aber aktive Shaker-Familie in Sabbathday Lake
führt heute noch einige der traditionellen Unternehmen weiter,
darunter die Schafzucht für die Wollproduktion und den
Anbau und das Abfüllen von Kräutern und Kräutertees. Dieser
Kräutergarten grenzt an das im Hintergrund sichtbare
Versammlungshaus.

Die Ausstattung der Diakon-Werkstatt von Pleasant Hill erinnert an den Anbau von Heilkräutern und -pflanzen. Sie enthält Waagen, Glasgefäße und feine Siebe mit Seidengitter für die Verarbeitung von pulverförmigen Bestandteilen. Die lange hölzerne Kiste hat einen gewölbten Boden, wie bei einer Wiege. Die Samen im Innern wurden auf diese Weise hin und her bewegt und trennten sich voneinander. Die Siebe und die Kisten stammen von den Shakern, die übrigen Gegenstände wurden außerhalb gekauft.

Die Ausstattung der Shaker bestand u. a. aus einer Blech-
schablone für die Etikettierung der Kisten mit „Shaker-Haar-
wuchsmittel" – einem Produkt – das die Wiederherstellung der
ursprünglichen Farbe (ähnlich den modernen Kolorierungs-
cremes), nicht aber neuen Haarwuchs versprach!

Viele Shaker-Gemeinden waren berühmt für ihre pharmazeutischen Produkte. Die „Believer" bauten eine Vielzahl von verschiedenen Heilpflanzen in ihren bis zu 400 Ar großen Gärten
an. Sie sammelten auch Wurzeln und Rindenstücke in den
nahegelegenen Wäldern und Wiesen. Die Pflanzen wurden zu
Extrakten verarbeitet oder getrocknet, in kleine Blöckchen
gepreßt, in Papier verpackt und verkauft. Darüber hinaus
stellten sie auch Arzneien her, wie zum Beispiel „Tamarinden-
Mus", ein aus dem Fruchtmark der Tamarinde hergestelltes
Mittel mit abführender Wirkung, ein bekanntes Produkt aus
Sabbathday Lake. Bekannt war auch „Corbett's Sirup", eine
dunkelbraune Limonade aus der Sarsaparilla-Wurzel mit harn-
treibender Wirkung, ein Produkt aus Canterbury.

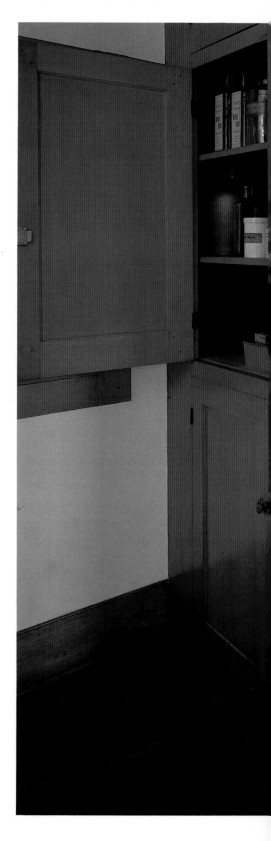

Einer der zwanzig Schlafräume im Wohnhaus der Church-Familie von Hancock zeigt die typische Ausstattung: die durchgehende Hakenleiste, Einbauschränke und -schubladen, große Fenster, schlichte Riemenböden aus Kiefernholz und weiße, verputzte Wände. Die Möblierung ist ebenso unverwechselbar – schmucklos, aber mit Gefühl für Form und Linie. Die Tischbeine des Klapptischchens gehen sowohl aus optischen Gründen als auch wegen der Stabilität leicht nach außen. Die Beine des Kerzenständers haben einen eleganten Schwung mit einem Anklang von Chippendale; auch die Proportionen des Schaukelstuhles sind sehr ausgewogen. Alle Möbel auf der Abbildung wurden in Hancock oder in der Nähe von New Lebanon zwischen 1825 und 1850 hergestellt.

Die Shaker produzierten ihre Arzneien aus Heilpflanzen für den Eigenbedarf und den Verkauf. Es gab Arzneimittel in flüssiger und in pulverisierter Form und auch als Pillen. Dieses hervorragend verarbeitete Gerät war ein Pillendreher. Wenn man einen feste Paste gleichmäßig in den Rillen der Metallplatte verteilte und die Querlatte hin und her schob, teilte die Mechanik die Paste in Streifen, aus denen man dann einzelne Kügelchen formte und diese trocknen ließ. Der außergewöhnlich schöne Pillendreher wurde in New Lebanon im frühen 19. Jahrhundert benützt. Er wurde wahrscheinlich außerhalb gekauft.

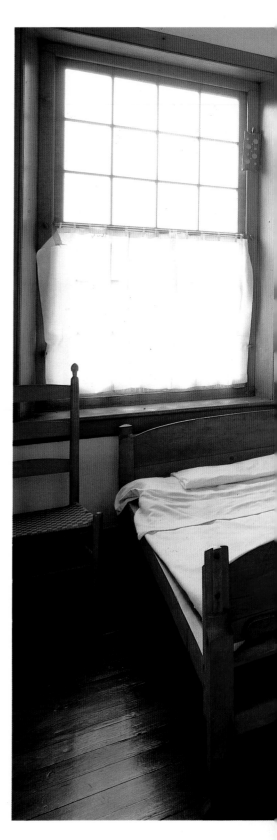

Jede Shaker-Gemeinde hatte mindestens eine Krankenstation, wo ausgebildete Shaker-Ärzte und -Krankenschwestern fast die gesamte medizinische Versorgung gewährleisteten. Im Notfall zögerten die Shaker jedoch nicht, einen weltlichen Arzt herbeizurufen. Sie waren aber in der Lage, von der Zahnbehandlung bis zu Blinddarmoperationen viele Dinge selbst durchzuführen. Als 1860 die Shakerschen Anwendungen dem betagten Ältesten von Hancock, Grove Wright (1789–1861), keine Linderung mehr verschaffen konnten, überredeten ihn die besorgten „Believer" zu einem Kuraufenthalt im Heilbad von Saratoga Springs/New York. „Die erste Woche tat mir sehr gut, aber danach war es aussichtslos", berichtete Grove. „Der Arzt meinte, er könnte mich heilen, wenn ich sechs bis acht Wochen bliebe. Aber", fügte Grove hinzu, „wie stellt er sich das vor, er denkt wohl, ich hätte genug Geld für eine so lange Zeit."

Die Ausstattung dieses Raums in Hancock entsprach der üblichen Einrichtung der Krankenstationen. Von links nach rechts: ein einheitliches Krankenbett mit einer Vorrichtung, um Kopf- oder Fußteil in der Höhe zu verstellen; ein Paar Krücken; zwei Erwachsenen-Wiegen für besonders schwache Patienten oder Invaliden. Die Bewegung der Wiege war beruhigend und verhinderte möglicherweise das Wundliegen. Die Wiegen waren keine Erfindung der Shaker, sondern wurden aus der „weltlichen" Krankenpflege übernommen.

226

Die Milchwirtschaft war ein wichtiger Bereich der Arbeit der Schwestern. In der Butterei in Hancock werden Rahmpfannen und ein großer Butterfertiger gezeigt. Sobald sich auf der Oberfläche der Milch der fette Rahm abgesetzt hatte, schöpften ihn die Schwestern ab und stampfen daraus Butter. Das gerillte Wellholz des Butterfertigers preßte auch den letzten Tropfen Buttermilch heraus, so daß die Butter nicht so schnell ranzig wurde. Im Jahre 1863 betrug die im April, Mai und Juni hergestellte Buttermenge laut einer Schwester 396 Kilogramm.

Die Shaker machten auch selbst Käse. Durch Zusetzen eines Stückchens Kälbermagen zu heißer Milch entsteht Quark und Molke. Große sechseckige, siebartige Körbe werden mit einem Käsetuch ausgelegt und mit Quark gefüllt. Unten tropft die Molke heraus, der Quark wird zu Weichkäse. Links auf der Abbildung sieht man eine Käsepresse, in der man den Weichkäse zu runden Laiben preßt.

228

Shaker-Schwestern kochten – verglichen mit gewöhnlichen
Haushalten – in enormen Mengen. Wöchentlich brauchte man
Dutzende von Brotlaiben für die Familien mit bis zu 100 Mitgliedern. Die Größe der Holzschüssel, in der gerade der Brot-
teig geht, ist bezeichnend.

Die Shaker-Frauen wechselten sich beim Küchendienst in vier-
wöchigem Rhythmus ab. Danach wechselten sie, um einer
anderen Arbeit nachzugehen. Die großen heiteren Küchen
müssen für Brüder und Schwestern gleichermaßen einladend
gewesen sein, denn in den „Tausendjährigen Gesetzen" von
1821 stehen folgende Mahnungen:

> „Es ist allen verboten, in der Küche zu sein oder unnötiger-
> weise die Küche aufzusuchen, während die Köchinnen
> beschäftigt sind. Es wird kein Versuch geduldet, die
> Köchinnen in ihren Aufgaben und Pflichten zu belehren
> oder die Meinung anderer darstellen zu wollen."

230

Ein Milchfaß aus Holz, das im Wohnhaus der Center-Familie
von Pleasant Hill an der Wand hängt, verdeutlicht das Anliegen
des Herstellers, Nützliches mit Schönem zu verbinden. Der
Behälter, der genau an die Hakenleiste paßt, wurde in der
Molkerei dazu verwendet, Milch hineinzugießen. Der Rand war
leicht ausgestellt, damit nichts danebenging. Das Faß wurde
von einem Böttcher aus hölzernen Faßdauben angefertigt. Holz-
reifen umspannten die Dauben wie bei einem geschlossenen
Faß. (Der obere Reifen wurde vor langer Zeit durch einen
Metallring ersetzt.)

Hähnchen zum Abendessen für eine 100köpfige Familie zuzubereiten, nahm sehr viel Zeit für die Vorbereitungen, wie
Schlachten, Rupfen, Dressieren und Braten, in Anspruch. „Nach
dem Frühstück", so berichtet eine Schwester 1835, „fingen wir
35 Hühner und bereiteten eine Soße aus Weintrauben."
Das Huhn auf dem Foto wurde in einem Blechreflektor-Grill
gegrillt, der vor einen Herd mit glühenden Kohlen gestellt
wurde. Der Bratspieß wurde am Handgriff langsam gedreht.
Darunter befinden sich ein großes Sieb und ein Steinzeuggefäß,
das mit einem Stück Tuch zugebunden wurde.

235

Shaker-Küchengärten, die manchmal 200 Ar groß waren, liefer-
ten den Shaker-Familien eine Vielzahl von frischen Gemüsen.
In einigen Gemeinden entwickelten die Shaker auch besondere
Fähigkeiten im Einmachen von Obst und Gemüsen und bei der
Herstellung von Würzmitteln.

1843 gaben die Shaker in New Lebanon „Das Handbuch des
Gärtners" heraus, um ihre Kenntnisse der „Welt" mitzuteilen.
Es waren „Einfache Anleitungen zur Auswahl, Vorbereitung und
Pflege des Küchengartens" und „Praktische Tips zur Kultivie-
rung und Pflege der wichtigsten Gemüsearten" verzeichnet. Das
Handbuch diente auch Reklamezwecken für die vielen und sehr
erfolgreichen Sämereien, die in New Lebanon verkauft wurden.
Es enthält eine Liste mit 74 verschiedenen Samen, von Arti-
schocken bis Zuckermais. Das Handbuch endete mit einigen
Rezepten zum Kochen und Einmachen von Gartenprodukten.
Die wichtigste Botschaft des Buches war einfach: Anlage und
Pflege des Gartens können viel über den Geist seines Besitzers
aussagen. Die Ordentlichkeit und Fruchtbarkeit der Shaker-
Gärten zeugte von deren geistigen Werten.

Lemon Pie – eine außerordentlich gehaltvolle Zusammenstellung von in Scheiben geschnittenen, gezuckerten Zitronen in einer Teigkruste – ist ein traditionelles Shaker-Rezept aus Kentucky und Ohio. Shaker-Köchinnen bereiteten ihren zahlreichen Familienmitgliedern Unmengen von diesen Kuchen. 1869 notierten zwei Schwestern die Menge Backwaren eines Monats: „Erste Woche 166 Kuchen, zweite 152, dritte 163, vierte 139, insgesamt 620 Kuchen." Die zweizinkige Gabel mit dem Holzgriff ist ein hilfreiches Gerät, mit dem man die heißen Bleche besser handhaben konnte.

OHIO LEMON PIE

Schneide 2 unbehandelte Zitronen mit Schale in hauchdünne Scheiben. Gib sie in eine Schüssel und streue 2 Tassen Zucker darüber. Gut durchmischen und mindestens 2 Stunden stehenlassen. Bereite dann deinen besten Mürbteig in doppelter Menge. Lege ein rundes Kuchenblech damit aus. 4 Eier schlagen. Zitronenscheiben mit dem Zucker in Schichten auf den ungebackenen Teig legen, dann die geschlagenen Eier darübergießen. Zum Schluß einen Deckel aus Teig darüberlegen und kleine Schlitze für den Dampf einschneiden. Der Kuchen kommt in einen auf 230 °C vorgeheizten Ofen. Nach 15 Minuten die Temperatur auf 200 °C senken und so lange backen, bis eine Stricknadel, die in den Teig hineingesteckt wird, sauber herausgezogen werden kann.

Der Engelskuchen (Kuchen aus Haferschrot) wurde nach einem alten Rezept in der Küche des Center-Wohnhauses gebacken. Die ersten Jahre waren in vielen Gemeinden sehr schwierig, da eine große Anzahl von Mitgliedern Lebensmittel auf einer Fläche produzieren mußten, die ehedem eine einzige Familie ernährte. Eine alte Schwester aus Hancock erinnert sich an die Armut in ihrer Jugend am Ende des 19. Jahrhunderts:

„Unser Essen war kärglich, aber was wir hatten, aßen wir mit dankbaren Herzen. Zum Frühstück und zum Mittagessen gab es meistens Bohnen- oder Haferbrei. Montag morgens gab es einen schwachen Tee und einmal pro Woche ein Stück Käse. Weizenbrot war sehr selten; und wenn es einmal Butter gab, wurde sie aufs Brot gestrichen, bevor wir uns an den Tisch setzten. Unser Brot bestand hauptsächlich aus einer Mischung von Roggen- und Maismehl. Zum Abendessen gab es etwas Gekochtes. Manchmal gab es etwas Milch, aber das war eine große Seltenheit."

Sie schließt mit folgenden Worten: „Wenn ich an jene Tage zurückdenke und dann die Fülle sehe, mit der wir heute gesegnet sind, erfüllt mich große Dankbarkeit."

Die Reichhaltigkeit gegen Ende des 19. Jahrhunderts sprach sich bald bei Besuchern und Bettlern herum. 1886 wurde ein Gast zum Mittagessen mit vielen Köstlichkeiten bewirtet: kaltem Rindfleisch, Weißbrot, Graubrot, Butter, gekochtem Reis, dicken Bohnen, Brombeermarmelade, Brombeerkuchen, Kartoffelgebäck, Apfelkuchen, Milch, Pickles, Frischkäse, Hüttenkäse und Krapfen. Und das alles zu einem Preis von 25 Cents. Das war für damalige Verhältnisse nicht viel. Dieses Essen hätte „Delmonico", einem damals bekannten New Yorker Restaurant, alle Ehre gemacht.

240

Die gußeiserne Friteuse und die Pfanne im Wohnhaus der
Church-Familie in Hancock war zur damaligen Zeit eine
absolute Neuheit. Mit dieser Vorrichtung konnten die Schwestern Pfannkuchen, Krapfen und Schmalzgebackenes und
anderes zubereiten. Hinter den beiden Eisentürchen befand
sich der eigentliche Herd, der mit Holz befeuert wurde.

Im großen gemauerten Ofen hatten Dutzende von Brotlaiben
und Kuchen für die 100köpfige Church-Familie Platz. Auf traditionelle Art und Weise wurde zum Backen der Ofen zunächst
angeheizt. Wenn das Holz zu glühender Holzkohle verbrannt
war und die Ziegel glühend heiß geworden waren, wurde die
Asche herausgefegt und das Brot oder die Kuchen zum Backen
hineingeschoben. Da die Hitze nicht reguliert werden konnte,
mußten sich die Köchinnen auf ihre Erfahrung verlassen, wenn
das Brot nicht anbrennen, aber doch ganz durchgebacken sein
sollte. Ein Rezept aus dem 19. Jahrhundert vermittelt eine
Vorstellung von den Mengen, die verbacken wurden:

WEICHE INGWERKUCHEN
*4,5 l Melasse, 2,2 l Frischmilch, 30 Eier, 6 Eßlöffel Ingwer, 12
Kaffeelöffel Pottasche, 10 Tassen Butter. Alles zu einer festen
Masse verkneten.*

DAS
RELIGIÖSE
LEBEN

DIE RELIGION der Shaker war ein wichtiger Teil des täglichen Lebens. Ein „Believer" veranschaulichte dies mit folgenden Worten: „Man kann seinen Glauben sowohl beim Zwiebelnwiegen als auch beim Hallelujasingen unter Beweis stellen." Trotzdem wurden die Sonntage in besonderem Maße gefeiert. Dieser Tag war dem Gottesdienst innerhalb der Familie und der Besinnung gewidmet. Mutter Ann hatte angeordnet, profane Angelegenheiten und Aufgaben am Sabbat hintanzustellen, um sich mit dem höheren Sinn des Daseins vertraut zu machen. 1780 erklärte sie einem Mann, der zum Glauben übertreten wollte: „Du darfst am Sabbat nie Fingernägel schneiden, Schuhschnallen putzen oder den Bart schneiden, es sei denn, es muß unbedingt sein." Am Samstag nach Sonnenuntergang waren alle Werkstätten geputzt und aufgeräumt, die einfachen Mahlzeiten für Sonntag waren vorbereitet, und alle Sünden und Schwierigkeiten waren den Ältesten gebeichtet. Der Sonntag war der Tag der Ruhe und der Stärkung des Geistes.

Der Grund, warum die Shaker-Gottesdienste in den Augen der Außenwelt so bemerkenswert waren, lag in der Art ihrer Ausübung. Anstatt ruhig in der Kirche zu sitzen und der Predigt zuzuhören, fanden die Shaker zum gemeinsamen Tanz zusammen; die Männer auf der einen, die Frauen auf der anderen Seite des Raumes. Sie bewegten sich in völligem Einklang mit ihren Liedern, die im Chor gesungen wurden. Instrumente zur Begleitung verwendete man nicht. Während die meisten Besucher das geistige Konzept von Zölibat und Lebensgemeinschaft noch nachvollziehen konnten – schließlich lebten auch außerhalb der Shaker-Gemeinden unverheiratete Personen, und es gab im 19. Jahrhundert mehrere experimentelle soziale Lebensformen –, so stand doch keiner von ihnen in der Kirche auf und begann zu tanzen. Außenstehende waren in der Regel entweder entrüstet, belustigt oder dem Ritual gegenüber sehr kritisch eingestellt. Viele Besucher waren der Überzeugung, daß es nichts Groteskeres und Lächerlicheres gab als diesen Tanz. Eine englische Dame schrieb, was sie da erlebt habe, sei ein Zwischending zwischen Gehen und Tanzen und ein pinguinhaftes Schütteln der Hände.

Für die Shaker war jedoch gerade das Unkonventionelle in ihrem Gottesdienst sehr wichtig. Der Tanz vermittelte ihnen ein starkes Zusammengehörigkeitsgefühl, das durch die einheitlichen Bewegungen der Arme und Beine noch unterstrichen wurde. Außerdem hatte der Tanz seine Ursprünge bei Mutter Ann und den frühen „Believern", die in England unter dem Spottnamen „Shaking Quakers" (zu deutsch: diejenigen, die hüpfen und zittern) – wegen ihrer ekstatischen Bewegungen, die sie bei der Begegnung mit dem Heiligen Geist vollführten – bekannt geworden waren. In Amerika hielten die ersten „Believer" zunächst an denselben Ausdrucksformen fest. Der erste Augenzeugenbericht eines Shaker-Gottesdienstes von 1780 beschreibt jene kraftvolle geistige und physische Energie:

> „Einer breitet die Arme aus und nimmt seltsame Haltungen ein, die sie ‚Zeichen' nennen; ein anderer tanzt und hüpft manchmal auf einem Bein durch den Raum; eine Frau dreht sich so geschwind, daß ihr Rock weit hinausschwingt; wieder ein anderer wirft sich erschöpft zu Boden … Sie machen solche Übungen mehrmals am Tag, besonders am Sabbat."

Nach dem Tod von Mutter Ann folgte Vater Joseph Meacham seiner eigenen Eingebung. Er hatte eine Vision, die ihm anstatt der individuellen Ausdrucksformen eine einheitliche, geregelte Art des Tanzes offenbarte. Die himmlischen Heerscharen waren ihm erschienen, die einfache, schlurfende Schritte ausführten, die die Shaker „laboring" (zu deutsch: mühevolle, träge Schritte) nannten. Diese Offenbarung war Ursprung des Shaker-Tanzes in seiner überlieferten Form. Später führte Mutter Lucy Wright ein, daß man sich in den Gottesdiensten aussprechen, den Glauben bezeugen und schwungvolle Hymnen und Chorlieder singen sollte. Einfache Tanzschritte, wie der „Tanz im Viereck" oder der „Heilige Marsch" kamen hinzu.

Im frühen 19. Jahrhundert war aus der Feier des Sabbats für die Shaker eine angenehme Gewohnheit geworden. Die „Believer" standen etwas später als üblich auf und zogen ihre Sonntagskleider an. Während die Arbeitskleidung je nach Art der Beschäftigung unterschiedlich war, sah das sonntägliche Gewand völlig einheitlich aus. Alle Brüder trugen gestreifte Hosen, weiße Hemden und blaue Westen; alle Schwestern trugen weiße Baumwollkleider. Im Winter hatten die Schwestern dunkle Kleider aus Baumwolle und Kammgarn an; die Brüder einen wärmeren Anzug aus demselben Stoff. Alle „Believer" wechselten an einem festgelegten Tag die Kleidung, um die Einheitlichkeit zu wahren.

Das Frühstück am Sonntag war so einfach wie alle anderen Mahlzeiten am Sabbat auch. Es gab gekochte Bohnen, Brot oder etwas anderes, das man vorbereiten konnte. Nach dem Frühstück und dem Mittagessen fanden die Gottesdienste statt. Die Versammlung am Nachmittag war öffentlich; Besucher von außerhalb konnten dann Mutter Anns Botschaft aus erster Hand hören. Je nach Wetter und Jahreszeit traf man sich im Gemeinschaftsraum des Familienhauses oder im Versammlungshaus. Bei kaltem Wetter fand der Gottesdienst im Familienhaus statt. Bei den Treffen im Versammlungshaus waren die auswärtigen Besucher manchmal sogar in der Mehrzahl. Als 1824 das neue Versammlungshaus in New Lebanon seiner Bestimmung übergeben wurde, füllten etwa 500 Shaker und 1000 „weltliche" Gäste den großen Saal.

Den Rest des Sonntags konnte jeder „Believer" für sich verbringen. Die Believer gingen nicht in ihre Werkstätten oder nach draußen, sondern verbrachten den Tag im Wohnhaus.

Außer den Sonntagen gab es noch andere Feiertage im Jahr. „Thanksgiving" war ursprünglich kein Feiertag für die „Believer", sondern ein Tag, an dem man sich um die praktischen Dinge der Gemeinschaft kümmerte. An Thanksgiving 1834 schrieb ein Bruder aus New Lebanon: „Heute wollen wir wieder an unserer alten Sitte festhalten und das Haus saubermachen." In ähnlicher Weise war Weihnachten ein Tag für die Regelung persönlicher Angelegenheiten, ein Tag der Besinnung, ein Tag, um Nächstenliebe und Einheit innerhalb der Gemeinde zu stärken. Mutter Anns Geburtstag am 29. Februar, der entweder am 28. Februar oder am 1. März gefeiert wurde, war wie Weihnachten ein besinnlicher Tag.

Um 1830 war der Shaker-Gottesdienst zu einer etablierten amerikanischen Tradition geworden. 1837 allerdings geschah etwas, das das Leben der Shaker für die nächsten 20 Jahre tiefgreifend verändern sollte. In Watervliet (der ersten Heimat der Shaker) empfingen nach der Überlieferung zwei junge Mädchen spirituale Mitteilungen aus dem Jenseits. Das Phänomen breitete sich auch auf andere Gemeinden aus. Junge Leute sprachen mit Engeln und verstorbenen „Believern" oder hörten geistliche Gesänge in ihren Träumen. Der Ministry kam es nicht ungelegen, daß gerade unter den Jüngeren eine Wiedererweckungsbewegung in Gang kam, die als Beweis für Mutter Anns Prophezeiungen galt. Schließlich hatte Mutter Ann ihren Anhängern immer wieder gesagt, sie sollten so einfach und unschuldig leben wie die Kinder. Bald darauf empfingen auch Erwachsene solche Botschaften und Eingebungen aus dem Jenseits.

Innerhalb weniger Jahre hatte sich die Art der Andacht und der Ablauf des täglichen Lebens völlig verändert. Wie in den frühesten Jahren des Shaker-Lebens empfingen einzelne Personen die verschiedensten Eingebungen und Geschenke. Grund zu besonderer Freude waren Botschaften von „primitiven" Geistern. Auf diese Weise ließ sich Mutter Anns Verheißung von Rettung am besten belegen. 1842 – so geht aus Quellen hervor – hatten die Shaker regen spirituellen Verkehr mit „Eingeborenen", etwa der Seele eines Indianerhäuptlings; mit Isländern, Arabern und einigen Afrikanern.

In göttlichen Offenbarungen wurden die Shaker mehrerer Gemeinden dazu aufgefordert, sakrale Bezirke und heilige Orte zu errichten, die mit einem gravierten Stein gekennzeichnet werden sollten. Jede Shaker-Gemeinde erhielt einen geistlichen Namen – aus New Lebanon wurde „Heiliger Berg"; Hancock wurde umbenannt in „Stadt des Friedens"; Sabbathday Lake bekam den Namen „Auserwähltes Land". Um 1842 waren die Gottesdienste so unberechenbar geworden, daß die Öffentlichkeit für drei Jahre ausgeschlossen wurde, damit die Shaker ohne Unterbrechung und Ablenkung ihre Visionen und Offenbarungen empfangen konnten.

Die Phase der Erneuerungsbewegung hatte für die Shaker gute und schlechte Seiten. Viele dieser inspirierten „Believer" lieferten neue Anstöße zum Wiederaufleben der alten Shaker-Werte, vor allem der Einfachheit, die aufgrund des wachsenden Wohlstandes der Sekte verlorenzugehen drohte. Musisch begabte „Believer" schufen wunderschöne Lieder und Zeichnungen. Besonders ältere „Believer" sahen in den Offenbarungen die Möglichkeit, der jüngeren Generation von der Güte der Mutter Ann und der frühen Shaker zu berichten. Da mittlerweile die meisten der „Erstgeborenen" – wie Mutter Ann ihre ersten Anhänger nannte – verstorben waren, war der Einfluß von Mutter Ann, Vater Joseph, Mutter Lucy und den anderen längst verstorbenen Brüdern und Schwestern auf übersinnlichem Weg sehr willkommen.

Andererseits gab es auch Mitglieder, die aus vorgetäuschten Botschaften Kapital schlagen wollten. Jemand, der Aufmerksamkeit erregen und Macht über andere Mitglieder gewinnen wollte oder einfach nur Unruhestifter war, konnte die Harmonie innerhalb der Familie empfindlich stören. Einem jungen Bruder aus Enfield, der vorgab, mit fremden Zungen zu reden, kam man darauf, daß er lateinisch fluchte. 1850 erklärte der Älteste Freegift Wells, solche Offenbarungen fortan genauer unter die Lupe nehmen zu wollen, damit etwas Ähnliches nicht wieder passieren konnte.

Die Wiedererweckungsbewegung, die etwa 20 Jahre gedauert hatte, klang um 1850 wieder ab. Die „Believer" hörten auf, zu den heiligen Orten zu pilgern. Die gravierten Steine wurden vergraben und die „gift drawings", eine Art Votivbilder, wurden weggeräumt.

Der Shaker-Gottesdienst erlebte in den Jahren nach dem Bürgerkrieg mehrere Veränderungen. Gegen Ende des 19. Jahrhunderts wurde meist nur noch gesungen und gesprochen. Die Tänze wurden nicht mehr fortgesetzt. Die Shaker trafen sich nur noch in den Versammlungsräumen der Familienhäuser, nicht mehr in den Versammlungshäusern. Als zu Beginn des 20. Jahrhunderts die Mitgliederzahlen immer mehr zurückgingen, zuerst Familien, dann ganze Dörfer aufhörten zu existieren, bestand der Gottesdienst nur noch in stillem Gebet.

Thomas Hammond Jr. (1791–1880) war ein besonders begabtes
Mitglied der Shaker-Gemeinde in Harvard. Er war Ältester der
Church-Familie und auch Leiter einer Stuhlfabrik. Aus seinem
Besitz stammt dieser fünfzackige Bleistift mit Elfenbeingriff,
der das Ziehen von Notenlinien vereinfachte.

Viele Shaker komponierten geistliche Lieder in einer – wie
sie es nannten – Phase der göttlichen Inspiration. Solche „gift
songs" gab es zu Tausenden. Die Shaker verwendeten bis zum
Ende des 19. Jahrhunderts keine Instrumente, weil sie der
Meinung waren, daß die menschliche Stimme ohne Begleitung
das einzige war, was man zum Musizieren benötigte. Von etwa
1835 bis 1890 gebrauchten sie ihre eigene Notenschrift, die
anstelle der Notenlinien und Noten nur Buchstaben des Alpha-
bets und ein paar einfache Taktstriche kannte.

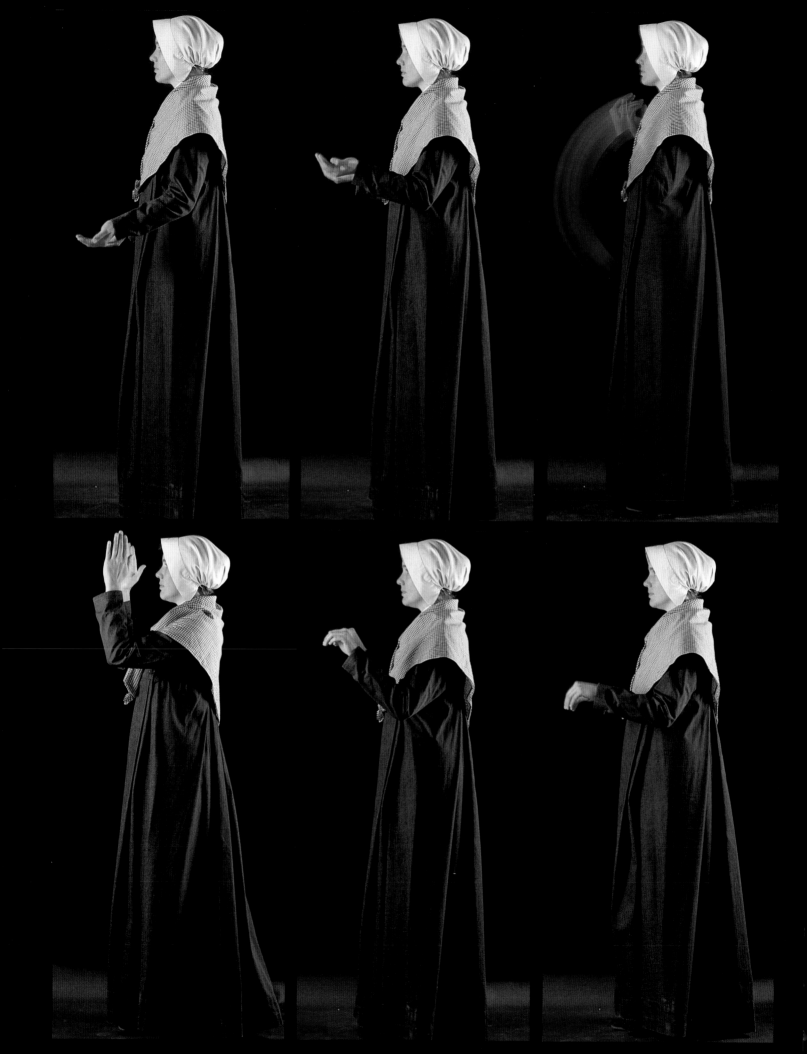

Die Tanzinterpretin eines Shaker-Museums zeigt die grundlegenden Handbewegungen des religiösen Tanzes. Das Anheben der Arme mit den Handinnenflächen nach oben bedeutete, den Segen der Brüder und Schwestern in sich aufzunehmen. Das Senken der Arme mit nach unten zeigenden Handflächen hieß Segen spenden. Der gebräuchlichste Tanz war ein einfaches Vor- und Zurückschreiten. Tanzreihen von Brüdern und Schwestern standen sich im Versammlungshaus gegenüber und bewegten sich simultan zu den Gesängen.

Was als „Shaker-Tanz" in die Geschichte einging, begann offiziell in den Jahren nach 1790, als Vater Joseph Meacham (1742–1796) den neuen Tanz einführte. Er sah die neue Schrittfolge als Alternative zu den früheren, eher ekstatischen Ausdrucksformen bei der Begegnung mit dem Heiligen Geist, als man noch hüpfte, herumwirbelte, sich schüttelte und zitterte. Shaker-Schriften haben uns überliefert, daß Joseph, obwohl er von Natur aus kein gutes Bewegungsempfinden besaß, sich eifrig und hingebungsvoll in die Übungen des Tanzes vertiefte. Er hatte nach unzähligen Tanzübungen seine Fähigkeiten so verbessert und solche Anmut entwickelt, daß er schließlich nicht mehr wie ein Mensch, sondern wie ein engelhaftes Wesen tanzte. Seine Ausdauer war zweifellos für andere Mitglieder sehr inspirierend und eindrucksvoll.

Das Kleid der Tänzerin ist den originalen Gewändern aus der Mitte des 19. Jahrhunderts nachempfunden. Das Häubchen, der große Schulterkragen und das strenge Gewand verbergen den Körper vollständig – die Absicht, die dahinterstand, war Züchtigkeit und zölibatäre Enthaltsamkeit. Ein Kritiker der Shaker sprach im Zusammenhang mit dem Aussehen einer Schwester von einer „Bohnenstange in einem Kartoffelsack".

Umseitig:
Die Center-Familie von Pleasant Hill versammelte sich an den Abenden der Woche im großen und hellen, Versammlungsraum, der an das Wohnhaus angebaut war, zum Gottesdienst. Gewölbte Decken waren in der Architektur der Shaker allgemein nicht üblich. Vielleicht war diese Decke eine Nachahmung des Tonnendachs des Gemeindehauses von 1824 in New Lebanon. Das Rundbogenfenster mit Sprosseneinteilung als Oberlicht ist ebenfalls ungewöhnlich. Die Fenster liegen nach Osten und Westen, so daß den ganzen Tag Licht hereinfällt. Wenn sich Brüder und Schwestern zur Andacht versammelten, saßen sie entweder auf tragbaren Bänken oder brachten die Stühle aus ihren Schlafräumen mit.

Das Versammlungshaus in Canterbury aus dem Jahre 1792 war
das erste Gebäude, das gemeinschaftlich von den Mitgliedern
der neu gegründeten Gemeinde erbaut wurde.

Im Hintergrund sieht man das Wohnhaus der Church-Familie,
mit dessen Bau 1793 begonnen wurde. Trotz der vielen An- und
Umbauten während seines 200jährigen Bestehens blieb die
ursprüngliche Struktur des Gebäudes erhalten. Es ist das
einzige Shaker-Wohnhaus, das teilweise noch den Grundriß
aus dem 18. Jahrhundert aufzuweisen hat. (Normalerweise
ersetzten die Shaker im 19. Jahrhundert ihre ursprünglichen
Wohnhäuser durch größere, modernere Häuser.) Im jetzigen
Zustand hat das Haus etwa 50 Räume. Der Glockenstuhl mit
einer Glocke von Paul Revere gab 1837 Anlaß zu Unruhe, da
sein Aussehen als zu „weltlich" empfunden wurde. Um die
Harmonie mit den Shaker-üblichen Maßstäben wiederherzu-
stellen und der Kuppel ein „bescheideneres" Aussehen zu
verleihen, kürzten die Canterbury-Brüder sie um 1,60 m. Heutzutage wird das Wohnhaus noch von Schwester Ethel Hudson
und ihren Katzen bewohnt. Die beiden anderen Shaker-
Schwestern in Canterbury teilen sich ein anderes Gebäude.

Der Gartenzaun um das Versammlungshaus in Sabbathday
Lake wurde nach dem Vorbild von New Lebanon angefertigt.
So banal es auch klingen mag, an den Gartenzäunen kann
man den ernsthaften Wunsch der Shaker aller Gemeinden
erkennen, dem Vorbild der Urgemeinde in New Lebanon zu
folgen, denn man war der Überzeugung, daß diese Gemeinde
einer göttlichen Eingebung zufolge entstanden war.

Im Hintergrund sieht man das Wohnhaus der Church-Familie
aus den Jahren 1883/84. Die erste gemeinsame Mahlzeit war
das Abendessen an Thanksgiving 1884. Dieses Haus ersetzte
das alte Wohnhaus von 1795. Es wurde mit Hilfe von 13 Ochsen-
gespannen von seinem ursprünglichen Standort weggezogen.

Von 1837 an fand eine Welle der Erneuerung statt, die auch unter dem Namen „Das Lebenswerk von Mutter Ann" bekannt wurde. Die Bewegung wollte die Shaker auf das Lebenswerk von Mutter Ann und der ersten Shaker aufmerksam machen und die wahre Einfachheit und Spiritualität des Glaubens wiedererlangen. In dieser Phase empfingen die Shaker viele „Eingebungen" – Botschaften und Visionen von Engeln, verstorbenen Shakern und anderen verehrten Personen, bis hin zu George Washington. Viele Botschaften kamen vom „Himmlischen Vater" und seinem weiblichen Gegenstück, der „Heiligen Mutter Weisheit", der mütterlich-väterlichen Gottheit der Shaker.

Viele „gift drawings" – Bilder, auf denen die göttliche Eingebung dargestellt wurde – zeugen zwischen 1840 und 1850 von den Offenbarungen, die einzelne „Believer" empfingen. Diese Zeichnung, auf der die Flügelpaare der himmlischen Eltern zu sehen sind, stammt aus einer Reihe von ähnlichen Zeichnungen, möglicherweise von Schwester Sarah Bates (1792–1881), die diese Vision 1845 hatte und sie 1846 aufgezeichnet hat. Dem handschriftlichen Text zufolge handelt es sich hierbei um ein „Heiliges und geistliches Schriftstück der Heiligen und Ewigen Mutter Weisheit, durch eine Botschaft den jetzigen und zukünftigen Bewohnern des ‚Heiligen Berges' überbracht und ihnen Tauben gebärend". Die detaillierte Symbolik und die genauen Beschreibungen stellen folgendes dar: eine Uhr, eine Trompete, einen Tisch, eine Lampe und fünf „Himmelsbäume", die den wichtigsten Personen bei der Gründung der Shaker gehören: Mutter Ann, ihrem Bruder Vater William, ihr treuer Anhänger aus England, Vater James und ihren amerikanischen Anhängern Vater Joseph und Mutter Lucy. Solche Zeichnungen muten heute sonderbar und geheimnisvoll an, aber sie sind Zeugnisse aus jener Zeit, als Shaker mit Engeln gesprochen und das Himmelreich in ihren Träumen gesehen haben.

258

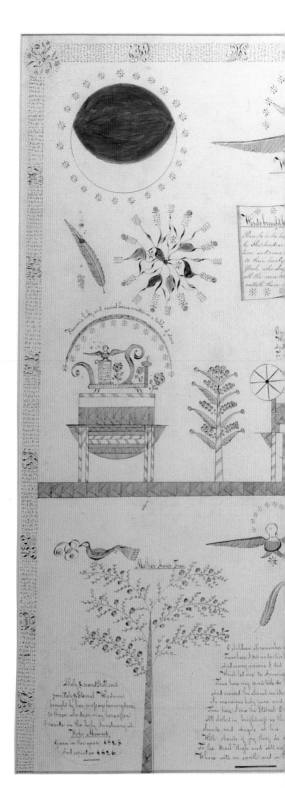

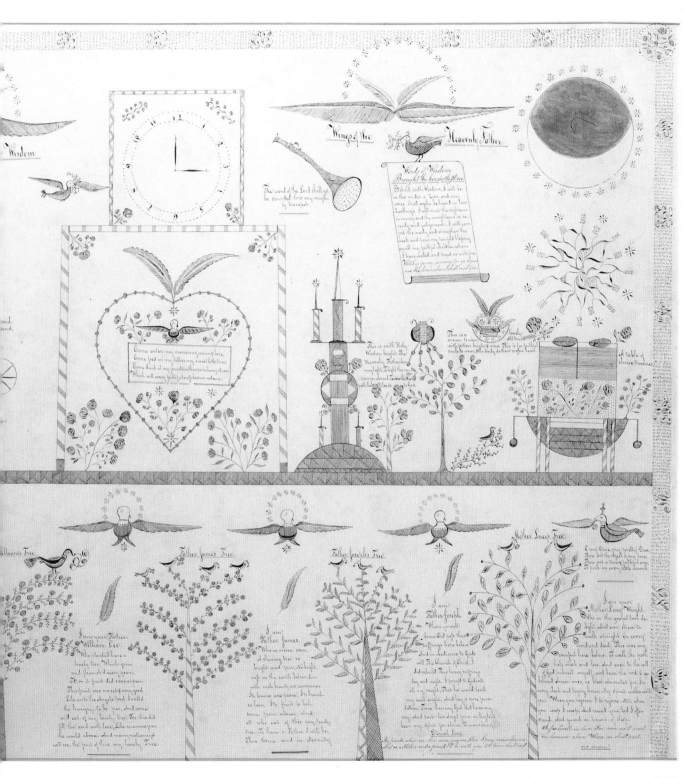

259

Das „Bild vom Himmel", das Schwester Polly Collins (1801 – 1884) aus Hancock zugeschrieben wird, zeigt die Eingebung, die sie im Januar 1854 von Mutter Ann empfangen hatte. Das Bild verdeutlicht die Vorstellung, die die Zeichnerin vom Himmel hat. 48 lächelnde Heilige und frühe Shaker-Führer – alle in traditioneller Shaker-Kleidung – sitzen in Reihen nebeneinander. Mutter Ann, ihr Bruder William und ihr treuer Anhänger James Whittaker sitzen in der obersten Reihe neben Christoph Kolumbus (dessen ehrenvolle Erwähnung auf dem Bild die Tatsache rechtfertigt, daß er der Entdecker der Neuen Welt war, die das auserwählte Land der Shaker wurde). Unterhalb von Mutter Ann ist der Erlöser mit dem zum Segen erhobenen Armen zu sehen.

Die Himmelslandschaft ist üppig mit verschiedenen Bäumen ausgestattet: vom Apfelbaum über den Pfirsichbaum zum exotischen „Himmlichen Kirschbaum" und zum „Baum der Rangstufen". Da die Shaker-Dörfer als exakte Abbilder des Himmels auf Erden galten, ist es nicht weiter verwunderlich, daß auch der Himmel mit Shaker-Möbeln ausgestattet war: zwei Sprossenbänken, einem Eßtisch, auf geschwungenen Böcken stehend, einem Schreibpult und einem Sprossen-Stuhl.

260

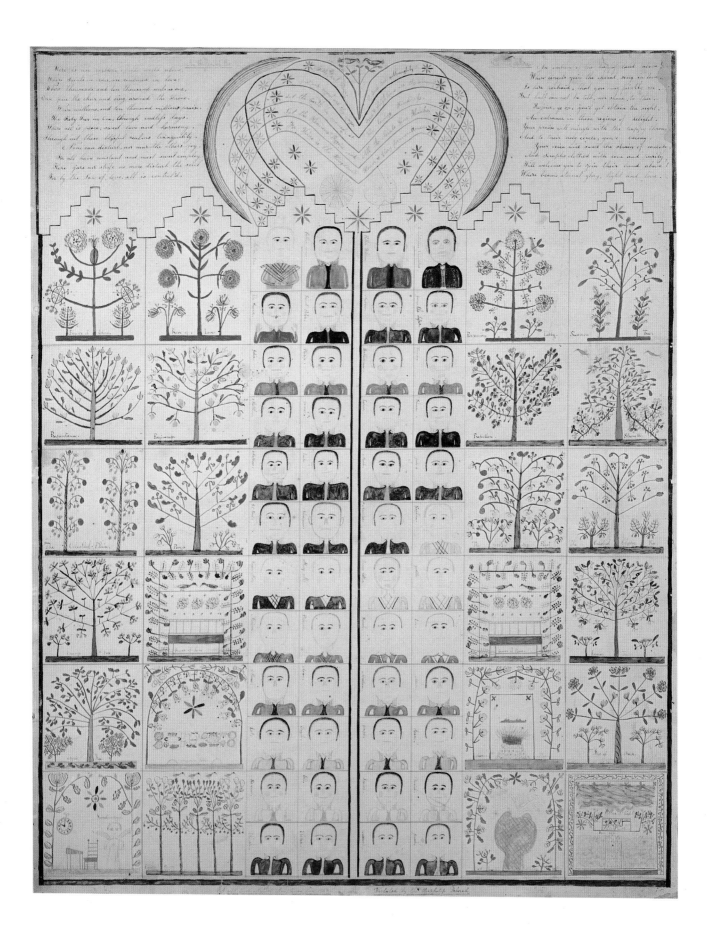

Eine andere Zeichnung von Schwester Polly Collins ist der „Früchte tragende Baum" von 1835. Laut dem Text wurde die Hand der Zeichnerin beim Schreiben von der Seele des Ältesten Joseph Wicker geführt, der drei Jahre zuvor verstorben war. Mit seinem Tod wurde der Gemeinde einer der aktivsten Verfechter der Erneuerungsbewegung und der göttlichen Eingebungen genommen. Während der Vision hatte die Schwester den Baum mit seiner Vielzahl verschiedener Früchte mitten im Versammlungsraum des Church-Wohnhauses gesehen. Er war ein Zeichen der „Heiligen Mutter" durch die Seele des Ältesten Joseph.

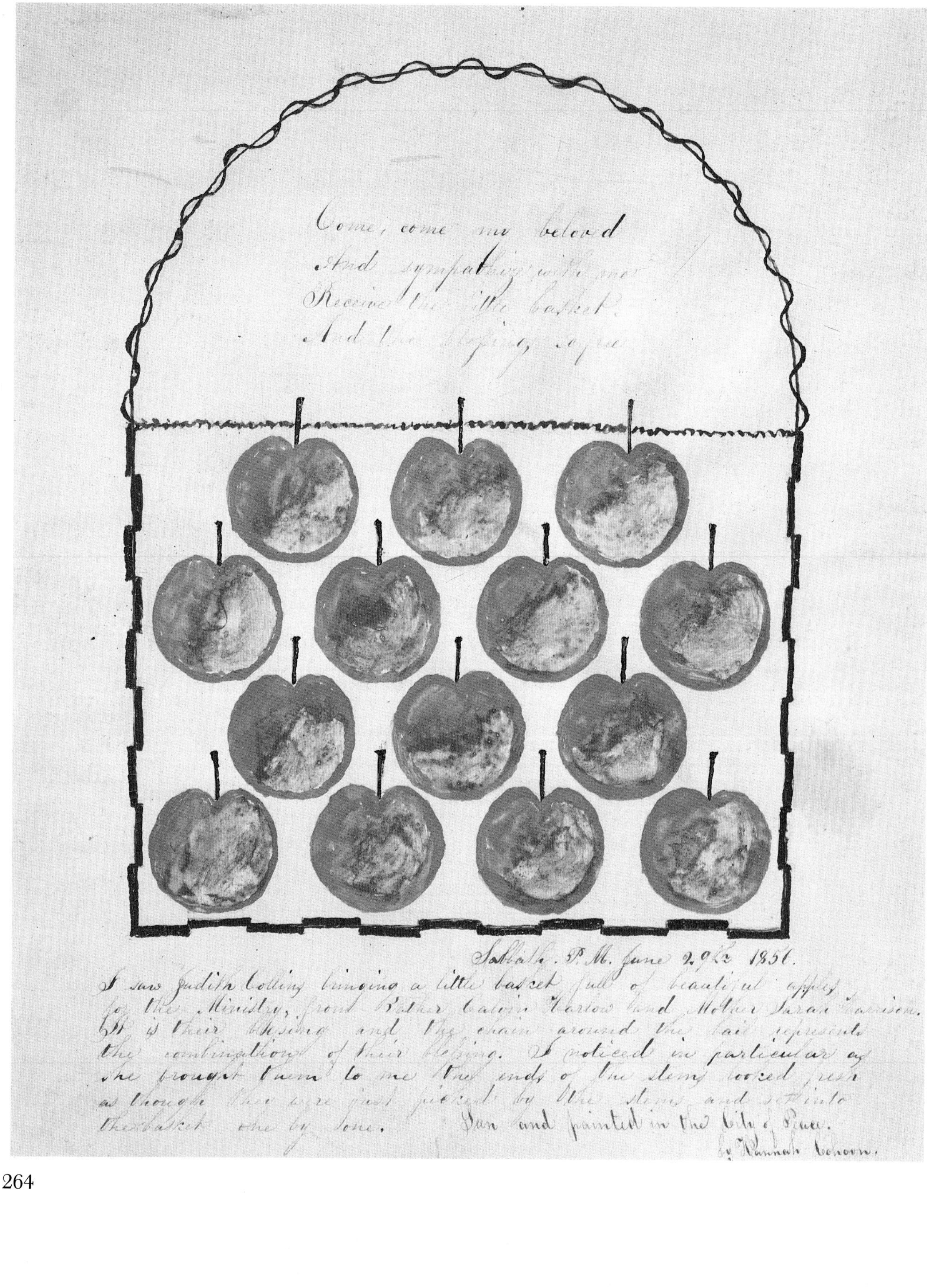

Come, come my beloved
And sympathize with me
Receive the little basket
And the blessing free

Sabbath 5 P.M. June 29 1856.

I saw Judith Collins bringing a little basket full of beautiful apples
for the Ministry, from Father Calvin Harlow and Mother Sarah Harrison.
It is their blessing and the chain around the bail represents
the combination of their blessing. I noticed in particular as
she brought them to me the ends of the stems looked fresh
as though they were just picked by the stems and set into
the basket one by one.   Seen and painted in the City of Peace.

by Hannah Cohoon.

Schwester Hannah Cohoon (1788–1864) aus Hancock hat diesen „Korb voll schöner Äpfel" im Jahre 1856 gezeichnet. Das Bild war ein Geschenk an die Ministry in Hancock. Die Eingebung bekam sie von zwei angesehenen Glaubensführern aus Hancock, deren „segensreiche Verbindung ihrer Führerschaft" sie in der Kette um den Handgriff des Korbes symbolisiert hat.

Umseitig:
Das Innere des Versammlungshauses von Sabbathday Lake ist seit fast 200 Jahren unverändert geblieben. Die Deckenbalken haben noch die originale dunkelblaue Farbe. Da die blaue Farbe teurer und kostbarer war als gelbe und rote Farbtöne, hatte es sich eingebürgert, sie nur für die Innenausstattung der Versammlungshäuser zu verwenden. Auch die „Tausendjährigen Gesetze" von 1845 schrieben dies fest. Um die Kiefernholzböden in gutem Zustand zu erhalten, trugen die „Believer" zum Gottesdienst Stoffschuhe. Während der Gottesdienste wurden dann die leichten Bänke zur Seite getragen, so daß in dem offenen, säulenlosen Raum genügend Platz für den Tanz war. Besucher von außerhalb waren immer wieder erstaunt über den außerordentlich guten Zustand der Böden. Ein Besucher fand die Böden „im Gegensatz zu den Shakern elegant". Eine englische Dame erklärte, sie hätte nirgendwo im ganzen Land besser gepflegte Böden gesehen. Auch seien ihr die Spucknäpfe für den Kautabak der Besucher aufgefallen, von denen es in jeder Ecke einen gab, und die häßliche Flecken auf dem Boden verhindern sollten.

Heute setzen die Shaker in den beiden noch existierenden Gemeinden ihre Traditionen fort. Die Schwestern in Canterbury feiern den Sabbat im kleinen Kreis. Vor allem aus Alters- und Gesundheitsgründen erachten sie es nicht mehr für nötig, den Gottesdienst im Versammlungsraum oder im Versammlungshaus abzuhalten. Die kleine Shaker-Familie in Sabbathday Lake hingegen trifft sich noch dort. Besucher sind dazu immer will-kommen.

Für die Shaker stellt sich heute die Frage nach ihrem Fortbestehen. Sie denken sowohl über ihre Vergangenheit als auch über ihre Zukunft nach. Obwohl die Mitglieder der Shaker-Sekte Großes geleistet haben, war es doch letzten Endes keine Massenbewegung, sondern eine individuelle religiöse Erfahrung. Als Mutter Ann nach Amerika kam, gab es nur neun Shaker. Mittlerweile hat sich der Kreis geschlossen. Heute sind es weniger als ein Dutzend Mitglieder. Dennoch scheint die Lebenskraft der Gemeinschaft ungebrochen. Solange es noch einen einzigen „Believer" gibt, glauben die Shaker an die Fortführung ihrer Ideale. In diesem Sinne schrieb schon 1837 ein Bruder folgende Zeilen.

„Diejenigen, die festen Glaubens sind, ehrlich und gut, wissen:
Ich werde es schaffen.
Und es gibt viele, die sagen: Wir gehen mir dir.
Wird auch die Schar immer kleiner und hat bald nur noch fünf Mitglieder
Ich werde einer von ihnen sein.
Laßt es denn so sein!"

BIBLIOGRAPHIE

ANDREWS, EDWARD DEMING. *The Community Industries of the Shakers.* Albany:
The University of the State of New York, 1932.

ANDREWS, EDWARD DEMING. *The People Called Shakers: A Search for the Perfect Society.*
New Book: Dover, 1953.

ANDREWS, EDWARD DEMING, and FAITH ANDREWS. *Religion in Wood: A Book of Shaker
Furniture.* Bloomington: Indiana University Press, 1966.

ANDREWS, EDWARD DEMING. *Shaker Furniture: The Craftsmanship of an American
Communal Sect.* New York: Dover, 1950.

ANDREWS, EDWARD DEMING. *Visions of the Heavenly Sphere: A Study in Shaker
Religious Art.* Charlottesville: The University Press of Virginia, published for
The Henry Francis du Pont Winterthur Museum, 1969.

BREWER, PRISCILLA J. *Shaker Communities, Shaker Lives.* Hanover, N.H.: University
Press of New England, 1986.

CARR, SISTER FRANCES A. *Shaker Your Plate: Of Shaker Cooks and Cooking.* Sabbathday
Lake, Maine: United Society of Shakers, 1985.

GORDON, BEVERLY. *Shaker Textile Arts.* Hanover, N.H.: University Press of England with
Merrimack Valley Textile Museum and Shaker Community, Inc., 1980.

HORGAN, EDWARD R. *The Shaker Holy Land: A Community Portrait.* Cambridge,
Massachusetts: The Harvard Common Press, 1982.

KASSAY, JOHN. *The Book of Shaker Furniture.* Amherst: The University of Massachusetts
Press, 1980.

LASSITER, WILLIAM LAWRENCE. *Shaker Architecture.* New York: Bonanza Books, 1966.

MEADER, ROBERT F.W. *Illustrated Guide to Shaker Furniture.* New York: Dover, 1972.

MELCHER, MARGUERITE FELLOWS. *The Shaker Adventure.* Cleveland: Press of Case
Western Reserve University, 1968.

MILLER, AMY BESS, and PERSIS FULLER. *The Best of Shaker Cooking.* New York:
Macmillan, 1970.

MORSE, FLO. *The Shakers and the World's People.* New York: Dodd, Mead, 1980.

MULLER, CHARLES R., and TIMOTHY D. RIEMAN. *The Shaker Chair.* Canal Winchester,
Ohio: The Canal Press, 1984.

NEAL, JULIA. *The Kentucky Shakers.* Lexington, Kentucky: The University Press of
Kentucky, 1982.

NORDHOFF, CHARLES. *The Communistic Societies of the United States.* New York:
Dover, 1966.

PATTERSON, DANIEL W. *Gift Drawing and Gift Song.* Sabbathday Lake, Maine:
The United Society of Shakers, 1983.

PEARSON, ELMER R., and JULIA NEAL. *The Shaker Image.* Boston: New York Graphic
Society in collaboration with Shaker Community, Inc., 1974.

SPRIGG, JUNE. *By Shaker Hands.* New York: Knopf, 1975.

SPRIGG, JUNE. *Shaker Design.* New York: Whitney Museum of American Art in
association with Norton, 1986.

SPRIGG, JUNE. PHOTOGRAPHS BY LINDA BUTLER: *Inner Light: The Shaker Legacy.*
New York: Knopf, 1985.

WERTKIN, GERARD C. *The Four Seasons of Shaker Life.* New York: Simon & Schuster,
1986.

ANMERKUNGEN

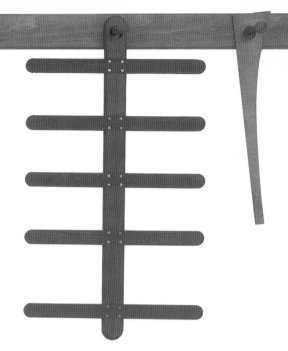

*Wir danken den folgenden Einrichtungen
für die großzügige Unterstützung:*

Hancock Shaker Village, Pittsfield/Massachusetts
Shakertown Pleasant Hill, Harrodsburg/Kentucky
Archive der Shaker Village Inc. und der Shaker
in Canterbury/New Hampshire
Fruitlands-Museen, Harvard/Massachusetts
Vereinigte Gemeinschaft der Shaker in Sabbatday Lake/Maine
Shakertown, South Union/Kentucky
Shaker-Museum, Old Chatham/New York
Old Sturbridge Village, Sturbridge/Massachusetts

Unser Dank gilt auch folgenden Personen auf den Abbildungen:

Cheryl Anderson, Tanzinterpretin, Hancock Shaker Village / Massachusetts
David Lamb, Möbelschreiner, Canterbury/New Hampshire
John McGuire, Korbmacher, Hancock Shaker Village
Cliff Myers, Dosenmacher, Hancock Shaker Village
James Higgins und Jack Jenkins, Steinmetzen, Pleasant Hill/Kentucky
Martha Sue Mayes, Köchin, Pleasant Hill
Bianca Fiore, Naturheilkundige, Hancock Shaker Village
Suzanne MacDonald, Schäferin, Hancock Shaker Village

Wir danken Roger Hall für seine Informationen über den Friedhof der
Shaker in Harvard; Robert P. Emlen für seine Informationen über George
Kendalls Karte von Harvard; Scott Landis und Martha Wetherbee für ihre
Informationen über das Kunsthandwerk der Shaker.

BILDNACHWEIS

Hancock Shaker Village, Pittsfield / Massachusetts: 5, 6–7, 10, 11, 12, 14, 16, 19, 37, 38–39, 50–51 unten, 65 oben, 68, 69, 72–73, 74–75, 80, 81, 87, 90–91, 92–93, 94–95, 98, 100–101, 103,109, 110–111, 119, 124, 125, 126, 127, 133, 134, 135, 137, 142, 143, 145, 149, 154, 155, 156, 157, 160, 162, 163, 164, 165, 167, 168–169, 176–177, 181, 182, 187, 209, 215, 220–221, 222–223, 225, 226–227, 228, 229, 242, 243, 244–245, 252–253, 261, 263, 264, 271.

Shakertown Pleasant Hill, Harrodsburg / Kentucky: 13, 18, 32, 33, 65 unten, 71, 77, 82–83, 117, 118, 152, 153, 158–159, 161, 189, 200–201, 218–219, 230, 231, 233, 235, 237, 238–239, 241, 254–255

Shaker Village, Inc. und Canterbury Shakers, Canterbury / New Hampshire: 17, 30, 35, 36, 47, 52–53, 89, 96, 97, 99, 104 (Archiv), 105 (Archiv), 120, 121, 144 (Archiv), 146 (Archiv), 148 (Archiv), 174, 190, 204, 206–207, 210–211, 256

Fruitlands Museums, Harvard / Massachusetts: 8–9, 15, 27, 50–51 oben, 84, 116, 122–123, 131, 139, 171, 176, 182–183, 184, 185, 186, 191, 194–195, 213, 251, 258–259

United Society of Shakers, Sabbathday Lake / Maine: 28–29, 54, 57, 58, 59, 62–63, 67, 86, 88, 136, 172–173, 193, 203, 212, 216, 257, 266–267, 268

Shakertown, South Union / Kentucky: 56, 78, 79, 175, 196, 197, 198, 214, 236

The Shaker Museum, Old Chatham / New York: 108, 128, 129, 140, 141

Darrow School / Mount Lebanon Shaker Village, New Lebanon / New York: 48, 49, 55

Privatbesitz: 178, 179

Old Sturbridge Village, Sturbridge / Massachusetts: 150–151. Fotos: Robert S. Arnold.

Town of Harvard, Massachusetts: 106–107

Town of Colonie: New York: 31

Fotos unten auf den Seiten 52–53, 260–261, 263, 264 copyright © 1987 Paul Rocheleau.

job 214